T3-BSK-964

人文叢書

證嚴法師⊙著

洪建全基金會

自序

釋證嚴

佛法向來重視因緣，世間的一切現象，都依於因緣而聚成；人是如此，物亦復如此，人我事物皆不例外。在因緣交織的網下，我們相依共存。

而個人與群體間的關係，不能兩相違離，沒有群體的力量，社會就沒有祥和幸福可言。所以，大乘菩薩行者的一言一行，莫不從利益眾生著眼，這是佛陀精神的體現。而慈濟四大志業，即是佛陀「大慈、大悲、大喜、大捨」精神的具體實踐。

由於慈濟志業日益擴展，證嚴與同修的弟子們，雖然共處一隅，卻少有機會多做言談。然而，證嚴只要身在精舍，必定把握每日早課後的少許時間，和他們研參切磋，談談人生佛法、或轉述醫院的個案，和志工真實感人的愛心事蹟，也談環保問題，及引導校園青少年正確的人生觀；同時報告「慈濟國際年」，在海外推展賑災救援、傳播愛心的工作，也說明「慈濟下鄉」活動，委員現身說法、淨化人心的情形……。所有的話語，無非是勉勵弟子收攝心念，把握因緣，結合群體力量，為社會多做一分貢獻，過一個有意義、有價值的人生。

證嚴二十餘年來秉承師訓「為佛教，為眾生」，念茲在茲，行茲在茲，並鼓勵大眾「以佛心為己心，以師志為己志」充分發揮生命的良能。每天反覆所談者，如此而已，既沒有高深的理論，也沒有驚世的創見，證嚴所重，唯身體力行！

這些對慈濟人的叮嚀語，承「洪建全基金會」厚愛，負責編輯，諸居士用心整理，得以景印成書，證嚴實在衷心感恩。

「至道無難，實行為難」，但願這本拙著的出版，能為我們的世界，啟發更多良善的人性光輝。

釋證嚴　八十二年十月于花蓮靜思精舍

目錄

第五講 植福田，播福種

第十講 與佛同世，與佛同地

第一講　佛陀慈悲到人間

佛陀的智慧

天地一片靜寂，但眾生的聲音此起彼落，遠處有雞啼，近處有鳥鳴，可見普天之下，沒有片刻能完全靜寂。就像「人」的本性原本清淨，一片光明，卻被自己的業力所遮蓋，沾染上了顏色，有如被一層霧氣籠罩，使光明無法顯現出來，因此眾生才會受盡種種苦難，隨著「業」而輪轉。

佛陀倒駕慈航來到人間，向人們說法，必須先「入事會理」。何謂「入事會理」？就是走入人群，融會於人與事裡。比如，佛的身體和平常人一樣由父母所生，一樣經過孩童求學的歷程；餓的時候要吃飯，冷的時候要添衣，出門以車代步……。既身為太子，一切的生活動作都要順應人間的環境，並配合太子的身分，這是佛陀示現於人群之中，融會於人事的生活，如此才能向大眾說法。

佛教徒都知道，佛陀看到人間的生、老、病、死，以及「愛別離」、「怨

憎會」、「求不得」……等種種苦相，感覺人生充滿苦惱，而毅然出家，想為眾生尋求一條解脫的道路。佛陀以日常生活的智慧為我們現身說法，讓我們知道一位大覺者的出生歷程跟常人一樣，只是他的心靈歷程和智慧比較超然。世間有些人消極悲觀，有的天天醉生夢死，有的只知享樂，有的愚癡迷茫過一生。但覺者自在超然的思想與智慧生活，可以做為我們學習的榜樣，所以我們要跟著佛陀的腳步前進。

佛陀以最清淨的覺性投入人間，絲毫不受人間塵欲所污染，所以他能以明淨的心鏡照澈世間，這是佛的大智慧。佛陀的修行過程也是歷盡種種的苦難，並不是搖身一變就成道。他不恥下問，四處尋求明師指導，探尋生命的奧秘，雖然花費了五年的時間去探訪，但是沒有得到究竟的解答。後來，他就到苦行林中過著刻苦清修的生活。

他離開人群，在六年的苦行中吃盡苦頭，衣、食、住、行方面接受了最高的考驗，過著最寂寞、最艱苦的生活。由於長期營養不良，致使他的身體虛弱不堪，總之，任何身心的折磨都動不了他求道的決心。歷經了種種磨難，直到最後他覺悟到這種苦行並不是正確、究竟的解脫之道。於是決定走出苦行林，洗去塵埃，補充體力，並且在菩提樹下端坐，思惟解脫生死困苦之道，

當他夜睹明星時，終於覺悟了宇宙真理，證真成道。

世人總認為佛陀神通廣大，有金剛不壞之身，他的成就是難以企及的。因此佛陀示現種種相，以說明雖然他的智慧福德圓滿，但也跟平常人一樣，面對人生的事物也有障礙。比如說梵志女對他的毀謗；婆羅門女身上綁著盆子，裝做懷孕要來污蔑佛陀；還有提婆達多從山上推下石頭，打傷佛的腳趾；他出門托缽也曾受到異教徒的侮辱，用馬吃的麥子假意來供養他。人身的侮辱，佛陀都曾受過，走在路上不小心被樹枝割傷腳，也同樣紅腫熱痛，這不都和常人一樣嗎？

為眾生示現病相

有一天，佛陀受風寒而發燒、又渴又餓，就向阿難說：「阿難啊！用我的缽去托一缽牛奶回來吧！」阿難拿著佛陀的缽出去，站在一位居士家門前，等著他們開門。此時，維摩詰居士正好路過，看到阿難，就向前問道：「阿難，你一大早拿著佛陀的缽站在這裡做什麼？」阿難回答：「因為佛陀身體不調順，發高燒，需要一杯牛奶。」維摩詰居士說：「阿難，你知道嗎？佛陀是為了眾生而示現病相，凡是人都有四大不調的時候，僧眾也有四事——飲

食、衣服、醫藥、臥具的需要，但很多人以為沒有修行才會有業報、會生病、遇到不順利的事，所以佛陀慈悲，示現人間各種苦難病痛的形態，讓眾生了解：連佛都會有病痛了，何況是常人，更不能例外。眾生有業報、有病痛，也是很平常的現象，不能因為有病苦或遭遇不順而輕視他們。」

我們從這段話中，就能知道佛陀是為眾生而示現病相，也是為眾生示現煩惱。否則，以佛陀的智慧，怎會遭到毀謗，甚至連累五百位羅漢？以佛的德行，為什麼異教徒會對他不滿，唆使一位女孩，身上綁著臉盆，用外衣覆蓋，在精舍外面哭哭啼啼，誣賴僧團比丘對她非禮。佛的弟子提婆達多，是他的堂弟，也在出家後不服佛的教法，在僧團造反，唆使幾百位僧伽，想盡方法要陷害佛？這就是佛陀所示現的業相啊！

毘琉璃王要起兵消滅釋迦族，這件事讓佛陀心煩憂慮，這都是佛陀在人生示現煩惱的業相，因為世間有這些事情，所以佛陀也示現同樣的煩惱相。這一切都是因為佛陀慈悲倒駕慈航來人間，救度眾生，他一定要跟人間一樣的生活，才能夠向人們說法。同樣是父母所生的身體，佛卻有一股真正清淨、不受人間污染的本性，所以他的智慧超然，能夠入事會理，教導眾生。他希望眾生能夠看到他的生活形態，看他用真正超越的智慧來分析世間的道理，

然後在人生道路上，有堅強的勇氣突破種種難關，這就是佛陀的智慧。

有些人往往生病了，就說：「這是我的業」；遇到別人毀謗，也說：「這是我的業報」，既然認為是自己的「業」，那要如何消除？其實方法很簡單，跟佛一樣——「歡喜受」，歡喜受就能很快消業！只要我們做得心安理得，即使受到毀謗，也能歡喜自在。

超越時空，一心向佛

有人說：「佛陀離開人間已經二千多年，我們要向誰學習？社會形態差異懸殊，不管是空間、時間、人與事變化這麼大，我們要怎麼學佛呢？」的確如此，佛陀出生在印度，佛陀的時代、社會背景與現在相距非常遙遠，到底我們應該怎樣來學佛？

其實，深入一層想想，佛陀的時代距今二千多年，但是生活的變化並不大，每一天同樣都有清晨、中午、下午；晚間大家都要休息，不只是二千多

年前的日子是如此，我想二萬多年前的日子也是如此！

二千多年前有善惡對立、有歡喜、有煩惱……，種種不同的人生，都和現代一樣。此時有大愛博施的大好人，也有狠心毒行的大惡人；而彼時——佛陀的時代也是如此。日子的輪迴是一樣，人性的善惡也是一樣，所以我說二千多年前和二千多年後的差異並不大。

好比每天清晨課誦完畢，我一定進入大殿和大家一起靜坐念佛，靜坐完談談話，這些動作多年來都是這樣，以後的每一天也是如此。二千多年前的時間，和現在的時間分秒皆同，如此說來，怎能說有多大的差異呢？佛陀的教育是適應當時的社會，當時有善、惡的人生，所以佛陀以各種例子來說法。在佛教三藏十二部經裡，道盡了當時社會的種種形態，和人性的追求，現在呢？也是一樣！

佛陀的教化一直延伸到現在，過去的祖師和所有的法師，一樣都遵循著佛陀的教法。現在，我們也依教奉行，身體力行，再口口相傳，將每一個修行的法則保留下去，才能發揚佛陀永駐人間的教育。

輕聲細語的啟示

幾天前，我接到一封十二歲小弟弟的來信，信的內容讓人覺得很可愛，也讓人覺得真的需要創造健全的環境來教育下一代，在好的環境中所教育出的孩子，一定不會變壞，孩子的心靈雖然幼稚，卻也是天真可愛，他們也有向大人看齊的想法，也不願認輸。

那位小男孩在信上說，他非常欽佩慈濟，也覺得自己有能力幫助慈濟，不過有時大人反而都輕忽小孩的力量，認為小孩子礙手礙腳，不重視孩子，他說：「您知道嗎？我們的小力量發揮出來也是蠻大的喔！」他還說他立志將他的小力量變成大力量，並在信裡面附寄了一張五百元禮券，他說：「這是我平時省下來的便當錢！我累積了很久，總共節省了這些錢，要參加大陸賑災，救濟貧困。可能您沒看過我，但是我要繼續努力存錢，等有一天能拿著撲滿跟您見面。」

雖然小小的年紀，他的志願很大呢！在信末他又說：「若您要問我是什麼名字，我不會說出來，但是我知道，捐款給慈濟，不能用無名氏，我只好用另外一個人的名字來代替——劉德華。」（這是他最喜歡的明星），這位小

朋友可能是生長在慈濟人的家庭裡，常常耳濡目染，為善不落人後，這也是社會、家庭的環境教育他的結果。

另外還有一些屏東大同國小學生寫的信，其中一位小朋友寫著：

師公：

您好！自從升上五年級以後，我們老師常常提起您偉大的志業，最近又影印您說的話給我們，每天生活與倫理的時間，逐條說明，並且要我們確實地去做，班上的同學都很聽話，師公，您知道嗎？我們得過好多次秩序比賽第一名呢！

師公：我們把您說的「輕聲細語」編成短劇，準備在週會的時候演出。

師公：您知道嗎？我是此劇的導演呢！我好緊張喔！希望能演得成功。

更希望全校小朋友看了，都能成為「輕聲細語」的慈濟人。

祝

健康快樂

萬事如意

五甲　陳英傑敬上

八十年十一月十五日

這麼好的老師、如此用心，不但用「言」教，還能夠將慈濟的精神及我所說的話，每天影印一段給學生，當作道德與倫理的課程。而且學生也能夠去實踐它，還會把文章編成一齣短劇，來教化其他的小朋友，這就是寓教於「樂」，真令人感到欣慰。也只有在這種環境學習的孩子，才能真正做個好學生。

這位小朋友在信裡附了一些相片，他說這齣短劇裡的主角名叫「雷公豆」。顧名思義，打雷的聲音很大，倒豆子的聲音也是唏哩嘩啦；所以，雷公豆到那裡都讓人討厭，人人都厭惡他講話粗聲粗氣，到處被人排斥，最後變成一個很孤單的人。他內心非常後悔，他的母親就教他：「因為你有種種缺點，所以大家才不喜歡和你在一起，從現在開始，你要輕聲細語。」從此，雷公豆真的改過了，也因此交到很多好朋友。這是最樸實的演出，讓人知道要改掉粗聲大氣的習氣。

才十二歲的孩子，就能把老師的教育應用在日常生活上，又能編成人生的劇場，來教導他人，可見我們的教育和佛在世時都一樣，佛陀常常會引用人生最醜陋的形態來教化大家，引導人走入真善美的人生，這和我們現在的教育有何明顯的差異呢？

用心即道，無所不在

平時學道我們都希望博學深究，這是求道者的心態，但「道」究竟有多廣？「理」有多深？

有一天，一位小朋友跑著、跑著，不小心跌倒了，坐在地上哭叫不休，他的媽媽趕緊把他扶起來，他還是哭個不停，不管怎麼哄都哄不住，他一邊叫，一邊指著地上的一顆石頭，原來是那顆石頭把他絆倒了。他的爸爸就把這顆石頭拿起來丟到遠處去，此時小孩才停止哭泣、露出歡顏。

這個孩子哭鬧不停，到底想表現什麼呢？其實人原本都是一片天真，但是一生下來就受後天環境的影響。比如有什麼不如意，父母就給他一個回應，姊姊打他一下，他哭了，父母過來哄他時，就說：「來！我打姊姊給你看。」這樣他就高興了！從小就養成復仇的心態，所以連跌倒、踢到石頭的時候，同樣也產生報復的心理，非將那顆石頭丟得遠遠的，他才會甘心。這就是

「教」，如果從小就被教育成凡事報復，長大後就很難期望能消化掉仇恨心理。道理其實很簡單，不執著的時候，什麼事都沒有，只要用心思考，凡事都是道理。

探求取來，莫非是理

莊子的朋友東郭子有一天來拜訪莊子，向他問「道」。莊子回答他：「道在螻蟻！」訪客心想，這麼博大精深的道，怎麼會在那最輕微的螻蟻之中？他聽了不太滿意，莊子又說：「道在稗中。」朋友更不滿意，於是莊子就說：「那麼道就在磚瓦之中。」他越聽越覺離譜，莊子看他仍不滿意，乾脆就說：「道在屎尿。」好友越聽越生氣，因為他覺得離「道」越來越遠啊！

他氣得悶不吭聲，莊子這才主動向他解釋說：「你的問題太籠統了！你到底要問那一種道？老實說，道無所不在呀！」莊子說：「比如要買豬肉的人，想知道豬是肥是瘦，就到市場問賣豬肉的人。肉販告訴他，判斷豬是肥或瘦的方法，是看豬腳。買豬肉的人想，豬的肥瘦，跟腳有什麼關係？原來，豬腳是最不容易顯出肥或瘦的，假使能看得出豬腳特別肥胖，就表示這隻豬很肥。」所以，莊子說：「像這種挑選豬肉的方法——養豬之道也是『道』

呀！」

從這角度來想，莊子說道在大小便裡，也是對的！現在的人檢查身體，必須以大小便化驗，放在顯微鏡之下研究，這大小便當然也是有學理存在；而說道在磚瓦之中，也是有道理，想想看，磚瓦砌成一間房子，能讓我們居住，不論是雨、是風，或烈日暴曬，它能給我一個很安穩的環境，而這就是磚瓦的用處。

莊子又說，道理在稗草裡，也是確實啊！務農的人都知道，稗草只會消耗肥料，如果不把稻田裡的稗草拔除，稻苗一定長不好。至聖先師孔子學問淵博，但他入太廟仍然「每事問」，他也曾請教過老農夫「如何種田」？可見任何事都有專門的學問、都有其「道」理啊！

說「道在螻蟻」也是對的！因為蠢動含靈都是有生命的本性，莊子將生命的本性比喻成螞蟻或者是最微賤的蛀蟲，這種說法並不過分。明理的人就能了解，「道」即是這麼簡單；若是想不通的人，就會覺得，如此微賤的東西能有什麼「道」呢？平時我們一直在探討道與理，認為深奧難懂的事物才是真道、才值得愛惜，其實只要能讓我們受用的，就是真道！信手拈來無非是理！

有道理，世界行得通

比如屏東游老師，除了教學生課業以外，每天影印「靜思語」中的一段文字給學生，要他們抄下來，並應用在日常生活中。上次我去屏東時，游老師帶這些孩子來跟我見面，送我一本他們大家寫給我的文章，題目是「一件祕密的事情」，其中有一位小妹妹寫道：

師公：

我們老師出了個作文題目：「一件祕密的事」，而且要寫給您哦！我真羨慕您，可以看到我們班上四十二個人的祕密！真好！

師公：那我現在就跟您說，我的祕密就是：

我也常捐錢給班上的「慈濟撲滿」，聽說我們全班（加上老師）已經有一萬多元了哦！厲害吧！還有，老師說您如果來屏東，有空他要帶我們去看您，大家聽了都很高興。

老師最近影印您的話給我們，其中有一句話說：「人的眼睛長在前面，看到的只是別人的缺點，絲毫看不到自己的缺點。」

起初，我覺得這句話沒有什麼，可是越想越有道理，老師說這每一句話

都「價值連城」，那師公您就是世界上第一大富翁囉！

我要學著跟您一樣，創造一個最富有的人生。

祝健康快樂！

五甲　陳鳳淦敬上

八十年十一月十五日

像這位小朋友，她只聽到老師說：「每一句話都是價值連城」，就聯想到——師公是世界上「最富有的人」，她想努力向上學習。這也就是道理，她能用心聽、用心思考，自然會想出這個道理。有理則世界各地行得通啊！只要我們多用心，人人皆是富有的人生！

受用、實用即是妙法

佛法不分深淺，能受用就是妙法。簡單的一句好話，能夠在日常生活中應用，甚至是時時刻刻受用，即是妙法啊！

看看大地的草木，都需要雨露的滋潤，不論是大雨、小雨，或者是露珠，都能滋潤草木。法華經裡說：小樹小根小莖，大樹大根大莖，各種植物所需的水量不同，而大自然下的雨都是一樣的，萬物各取所需，毫不影響。

佛法也是一樣，佛陀說法沒有深淺，能適應眾生根機，就是妙法啊！然而有些人很專心研究佛陀的教理，卻只在文字相上鑽研，如此越鑽就越解不開，無法透徹道理，又浪費心思，也是煩惱。

有一位修女和神父，他們專程來參觀慈濟醫院，了解慈濟所做的事情。他們雖然是天主教徒，但是最近幾年因了解慈濟，看了很多書，所以接受的大多是佛教的道理。現在他開始學習打坐。有些人以為，打坐很玄奧，靜坐時要心念皆空，或者是坐到靈魂出竅。他說：「我沒有辦法，越想『空』念，事情越多；越想要得到靈魂出竅，卻越覺得心思複雜、煩惱重重。」

後來，他看到我說過的一句話：「打坐不是為了什麼，只為了將氣息調好，讓血液運轉順暢，而且不要想什麼是『空』，也不要想靈魂出竅。」他覺得這樣反而很輕鬆，很自在！

因為他不再執著那深奧的道理，自然覺得很輕鬆。體會禪理也是一樣，不要執著，自然會覺得容易入理。所以我常說，淺顯的道理反而容易接受、

體會，在日常中更容易體會得到的啊！

佛法無深淺

就像屏東一位小朋友，他說：「師公，我偷偷告訴您一件祕密，自從升上五年級，我的思想忽然改變了，因為老師除了上課以外，每天都影印一段『靜思語』來警惕我們，所以我的思想就開始慢慢改變了。」現在他知道世間有很多需要幫助的人，人要盡量做一個能夠幫助別人的人，才是幸福、才算偉大，所以他開始想辦法做個能幫助人的人。

他說：「我年紀還小，老師告訴我不能向媽媽要錢，這該怎麼辦？這樣我就沒有錢幫助別人了。不過，我曾聽過老師這麼說——有些小朋友的年齡還小，為了幫師公蓋醫院，就替小妹妹洗襪子，賺工資給師公。」於是他跟媽媽說：「媽媽太辛苦了，家務事這麼多，我來幫妳做一點。」他告訴媽媽：「從現在開始，我也要做一個能夠幫助別人的人。」他每天得到媽媽的誇獎，又能拿到工錢，依他的心願存錢，開始做救人的工作。

只是老師短短的一句話、每天一段文字的引導，就能改變十幾歲孩子的思想，甚至促使他努力付出，去做救人的工作，父母當然很欣喜。這不像一

些被父母溺愛得讓人傷透腦筋的孩子，性情一直趨向頑劣。

曾經在報上看到一則新聞，一位母親因為連續生了五個女兒才得到一個兒子，所以將所有的愛都放在這個孩子身上，他從小被寵壞了，在家是小霸王，五個姊姊都得讓他，連父母都要聽他的，這樣的家庭培養出來的孩子，怎麼會好呢？

慢慢的，這個孩子不肯讀書，長大也不肯工作，整天跟幫派的人混在一起，有錢就去打電動玩具、賭博，不務正業，沒錢就回來向父母伸手要錢（事實上他父母的經濟情況也不是很好）。父母給他錢，他一出門就不知幾天才會回來；沒錢時就在家裡大吵大鬧。

有一次他回來向媽媽要錢，但是他媽媽身邊已經沒錢了，只剩六十元。給他五十元還不行，竟然全部要，他竟拿刀恐嚇。媽媽為了保護剩餘的十塊錢，兒子就出手打她，媽媽跟他起爭執，他竟拿刀恐嚇她。最後，媽媽越想越不甘心，從小付出那麼多的愛，長大了卻還要操心、生氣，不斷給他錢，到現在連一點錢都不肯讓她留在身邊，甚至還拿刀恐嚇她。她於是到警察局告了這個兒子，法院判他交保，但父母不肯領他回來，只好將他關了一個多月。

這些故事告訴我們，如果平時太寵孩子，孩子就容易變壞；如果用佛法

甘露一點一滴來滋潤他，即使是小花小草也能得到雨露的滋潤。總之，佛法不在深淺，最重要的是用心接受。

第二講　時時常懷感恩心

感恩他人，美化自己

每到年關，各個公司行號，都在舉行「望年會」，慈濟醫院也不例外。有人說「忘年會」，也有人說「望年會」，到底是「忘」，還是「望」，現在我們來分析應該要用那一個字。

「忘」是忘記，「忘年」等於忘記過去的一年嗎？其實要忘記過去是不容易的事，除非是記憶力衰退的人，才說：「唉呀，我忘記過去了！」，然而，是否全部都忘記呢？不一定的，如果在年輕時有一段風光的日子，或者過去曾受到什麼樣的刺激，人們常常會記得；此外，人與人之間，誰是最喜愛的，誰是最討厭的，都會記得。所謂記憶力衰退，是指忘記最近或無關輕重的事情，比如「剛才什麼人告訴我什麼事情，啊！我忘記了」「我想做一件事情，轉個身，怎麼忘了剛才想做什麼？」人漸漸老邁時就會影響記憶力，很容易忘記事情；但在年輕力旺、記憶力還很好的時候，所發生的事情都會永遠記

得，而今年老，即使連現在或昨天的事情已忘記，但是一想起好幾年前的事，他還能琅琅上口，如數家珍，所以要忘掉過去的事很難！

若是用「望」字，對佛教徒來說，有「希望」是對或錯呢？我常常說：「希望若多，失望就大。」若把希望放在未來而又不努力，也是一種悲哀，因為人心的欲望永遠都填不滿，永遠都不滿足，不滿足的人生是最痛苦的。人必須「常念知足」，才能生出感恩心，有了感恩心才會快樂。

有一位小妹妹，她就讀小學，老師規定每天寫「靜思語」中的一句好話，這個孩子藉著抄寫而自我教育。她在一篇文章中說：「以前爸爸媽媽罵我時，我會很生氣，而且頂嘴，爸爸媽媽也很生氣，就繼續罵我。」她說：「老師常常教我們抄一句好話，其中有一句是——人要能感恩，感恩他人就是美化自己。」抄到這句話之後，她就常常警惕自己「不管什麼人罵我，我都要感恩；若是有人疼我，我也都要感恩。」結果她發現沒有人會對她發脾氣，大家都更疼她、關心她。她說：「這句話很有用喔！」僅僅一句話，她就能體會出「感恩他人就是美化自己」。而為什麼能感恩呢？就是能知足，在這個環境中若「常念知足」，則對任何人都有一分感恩。

守住現在，守住自在

欲望越大，希求就大；若過分希求，就會得到無法如願的痛苦。一個人希望別人敬愛你，必須自己先付出，從自己做起。而且我們應該好好守住「此時此刻」，因為「此時此刻」是做人的根本，捨棄「此時此刻」，而去追求未來的希望，那是非常空洞渺茫的。希望我們每一個人、每天都時時歡喜，守住現在。

所以我不說望年會，而強調「年歡會」。因為年是由月累積的，月則是日日累積而成，而時、日由分秒所累積成。我們要得到歡喜，就要先守住每一秒，每一秒鐘都能自在，每一刻鐘都顧好自己的心念，注意自己的言語動靜，則能培養成日常生活的行為。將日常生活中的善行日積月累，這樣的人生即是好人生。我們無時無刻地累積，到年關將近時，每一個人都應歡喜地慶祝，慶祝自己在一年當中，日月所累積的善行，並且感恩大家的付出及互相幫助。

開墾福田種善因

八十年度可以說是慈濟大豐收的一年，因為我們的福田開闢得更廣，已跨越到大陸去了。在慈善志業方面，可以說是創下了歷史性的大賑災記錄。我們不僅給大陸災民米糧，還為他們準備過冬的衣服，更為他們重建家園。讓他們在炎熱時免受太陽煎熬；下雨時，免於浸泡水中；冬天白雪紛飛時，免於雪中受凍，慈濟人為災民建造安全穩固的家園，幾十年後，他們還可以使用。除了為他們建家園之外，我們又為他們建設學校，有了讀書的教室，就可以不斷地教育下一代；還為孤老無依的老人建「敬老院」，讓他們有一個溫暖的家可住。所以我們是做了創歷史的大賑災。

其實，耕種了多少，將來就會有多少收穫，我們應該很歡喜，因為這是我們累積了秒、分、時、日、月的辛苦所得。就人世間而言，我們沒有白走這一趟路，因為我們曾為世間人付出一大片的心力，所以應該歡喜。對佛教徒而言，這也是種大善因啊！

我常常說我們要種大善因，不要只種小善因，大善是由小善累積而成。我們要發揮大愛，先愛他人然後再愛自己，當你愛別人時就已經是在愛自己了；若你不愛自己，也無法去愛別人。就像現在，因為我們付出那分辛苦，所以感到很踏實、很歡喜；而沒有付出的人，他欠缺那分愛，所以感到空虛、失落感。

我們做到「自愛愛人」——應用自己的手腳去幫助他人，這就是利用人生的良能。一個人若捨不得自己的手腳勞動，無異是廢掉了手腳的功能。當你多去利用它時，就是愛它；不去利用，就好像一件東西丟棄在牆角一樣。

「過年」的意義，就是要我們回顧過去的一年，是否好好利用了自己的人生歲月。若這一年已好好利用，我們的人生就是沒有浪費，而是充滿希望，應該歡喜。若不去利用，不造善因，不種福田，日子也一樣白白過去了。

新年即將來臨了，我們應該互相慶祝。在慈濟菩薩道上，大家手牽手，肩併肩，走在康莊大道上。所有慈濟人的一切付出，都應該要互相祝福，彼此感恩。

超越知識，追求智慧

人生有許多事都是忘不了的，因為心裡有執著，執著於愛或不愛。有喜愛就會不斷地追求，用心計較，想要有所得，這都是人的欲念執著。相對而

言，就是厭惡，要忘掉過去討厭的事、所怨、所恨的人，也是很難啊！怨恨的心念比感恩的心念更難忘記。人與人相處，難免有特別投緣的人，也有特別無緣的人。特別投緣者，就希望跟他日日相處；工作時希望能和他在一起做事。如果和不喜歡的人在一起，就恨不得趕快離開他；或是他一開口，明明是好話，聽起來也覺得很厭煩，連好話都變成壞話。這就是凡夫的執著心理。

眾生總是有分別心，分別心就是由知識產生出來的，而智慧卻是平等的。我們學佛就是要超越知識，追求智慧。智慧蘊藏在我們內心，不必外求，我們應該要多用心，將內心中最正確的觀念啟發出來，這就是智慧。

例如一位小朋友，寫了一篇文章，題目是「老師給我的一句好話。」他說，自從老師教他抄一句好話，他的觀念轉變了。有一天從學校回來，到房間一看，發現作業、勞作及一些本來收拾好好的東西，被弄得亂七八糟，原來是四歲的小妹將這些東西全部抽出來，撒得滿地都是。當時，他氣得兩手握著拳頭想要搥她，但是忽然想到一句好話：「寬容別人就是美化自己。」他才將這兩隻拳頭慢慢鬆開。他說他將這最好的一句話拿來用，結果原諒別人之後，自己也很高興。而妹妹也漸漸很愛他，他證明了「原諒他人就是美

化自己」。

這就是智慧，他看到東西散落一地時，他的知識覺得：「怎麼可以這樣？我花了多少心血在那上面，怎麼可以把它弄壞？怎麼可以撒得到處都是？」知識能分別好的東西被弄壞，整潔的東西被弄散，當然很衝動，有一個意識告訴自己：「你要生氣，你要打他！」所以他兩手握緊，想打下去，幸好他的智慧及時顯現，才能壓制意識的衝動。唯有智慧才能圓融人與人的關係，才能美化人生，這就是我們學佛所要學的——學習如何將醜陋的人生和怨恨念頭化解，轉化為一分感恩心。

平等的智慧

很久以前，在日本有一位身分崇高的老先生——他是某地方領袖的伯父。他年紀雖已老邁，卻具足崇高的智慧。有一天他覺得他的侄兒領導人民，必須深入民心，了解民情。於是他打扮成一名農夫，穿著草鞋，帶著幾位隨從到各地去，一來遊山玩水，二來探聽民情，看看社會是否安康？人民是否富足？

有一天，來到一間旅社。那時正是嚴寒的冬天，不斷地下著雪，他腳穿

著草鞋走在雪地上，好不容易找到這家旅社，於是一群人走進去休息。日本的房子，走進玄關後，就是榻榻米，當然要先把腳洗乾淨才能上去。這時旅社佣人應該端水來給客人洗腳，但旅社的佣人看到這一群人狀如販夫走卒，就起了凡夫分別心。如果是作生意的大商人、或者身分高的人到來，他們就會畢恭畢敬地把水送到他們的腳邊。但是現在看到的這群人不像有錢人，所以佣人愛理不理的說：「水呀？那兒有幾盆水，是剛剛別人才洗過的，還是熱熱的，拿去用吧！」當時，幾位隨從都非常氣憤，握緊拳頭，想衝過去打他，這位老先生比個手勢制止他們，這些人才鬆開拳頭，他很自在地對隨從說：「我們出來就是為了要遊山玩水，是要找尋快樂的。」老先生接著說：「沒有錯呀！這水還是溫溫的，可以用呀！」於是就把草鞋脫下來，兩腳伸進人家洗過，但還是溫溫的水中。他也把腳洗得很乾淨，浸得好溫暖。

這就是智慧，智慧是沒有分別心的。他並不是忍耐，忍還是會很痛苦，而他是很自在的。他覺得旅社的佣人說的沒錯，水雖然是別人用過，但還熱熱的，同樣可以洗乾淨他的腳呀。所以他沒有生氣，如此當然就不必忍耐，不忍耐、不生氣，又可將冰冷的腳浸在熱水裡，享受泡熱水的樂趣。他絕無一絲心理不平，或是因生氣而必須忍耐，這就是「原諒他人，美化自己」，就

是沒有分別心的「平等慧」。

偏偏人都很愛計較，日常生活的常識都懂，人與人之間臉色好壞也會分別，這是所謂的「分別智」，會帶來人生的痛苦。我們應該要時時歡樂，忘記過去雖然很困難，但每天抱著希望迎向未來，不也是快樂的事？

我最近常說，過年時要很歡喜，感恩過去大家共同合力完成慈濟志業，還要彼此感恩，互相提攜，邁向未來的康莊大道，這就是我們應該要歡喜的。我們慶祝未來，感恩過去，轉化知識為智慧，這就是我們學佛者所要追求、學習的好功夫。智慧是平等的，人人本具，只要我們用心，就能日日發揮智慧的良能。

四大志業點滴在心

雖然年關近了，但這幾天卻是冬陽普照，住在台灣的人過著四季如春的好日子，這是我們的福，每個人曾造這個福，所以能生在台灣。以台灣和世界其他地方比較，台灣的土地實在小得很不起眼，但土地雖小，我們卻擁有溫暖美好的慈濟大家庭。

在年關時節更讓人感覺到慈濟大家庭的親切。慈濟的年歡會即將開始，大家紛紛從各地回來，有人從美國、新加坡趕回來，還有從台灣的各個角落，回來過年同歡樂。這個年歡會充滿感恩的氣氛。

回想八十年度這一年，真可以說是慈濟的豐收年。慈濟的四大志業成就：第一、慈善工作。慈濟委員和慈誠隊發揮愛心，關心社會每一個角落，尤其是貧窮急難的人，因為他們的細心、愛心及大家的同心協力，救濟工作做得點滴不漏。只要聽到、看到，不管路多遠，多難走，還是一一到那地方去關懷他們、發揮大愛。而且不只是在台灣地區，連距離很遠的中國大陸，我們也是全心投入，動員了所有的慈濟人，呼籲台灣的同胞投入救濟工作，用愛心為他們抵擋嚴冬。今年大陸的朋友在那些新屋裡住得很安穩，這是因為我們大家同心協力，才能完成這項慈善志業。

引領走上菩薩路

另外在醫療的部分，慈濟醫院的二期工程已在八十年完成，二期病房也

已開放，幫助更多的病患。全省的委員及慈誠隊，更發揮愛心輪流回來當志工，為建設而奔波，也為救貧而到處勸募。剛開始是委員輪流回來當志工，漸漸又有慈誠隊的投入，從北部開始，慢慢增加為中部、南部……全省投入，我真的非常感激。

一些國際人士或者醫學界的人士到我們慈院參觀，院長介紹醫院的成果時，最高興談起的就是志工，他會向人說：「我們醫院的建設或是醫生的陣容，不敢說是最好的，但是我們有一個特殊之處，就是擁有一群世界上最好的志工組織。」可見志工在醫療工作發揮了多麼大的功能。走入慈濟醫院，你會感覺這裡不像醫院，因為在醫院的每一個角落都讓人感受到朝氣蓬勃，病房裡常常傳出歡樂的歌聲，這都是慈誠隊和委員所帶來的，令人改變畏懼醫院的觀念，也讓人感覺我們醫院充滿了溫暖、彼此感恩的氣氛。

過年時大家都很忌諱上醫院和說「病」字，但是在慈濟醫院就不一樣了，每到過年，很多人都說要回來過年，利用假期當志工。大年初一一大早就有一群群的志工進入醫院，每一間病房裡都是恭賀新禧聲不斷，病人雖然沒有回家，但在我們的醫院裡，他們也過了一個喜氣的年節。從正月初一開始，就有許多人搭乘遊覽車來參觀慈濟醫院，它打破了一般民間禁忌及迷信的觀

念，很多訪客都在醫院照相留念。

醫院除了救人的身體以外，也有精神教育的作用，志工的愛心付出是治療病人心理問題的良藥，也提高他們人生的正見，而且醫療工作能做得這麼好，誠如院長說的，是因為我們的醫院有許多志工的投入，醫生是醫治病人的身體，志工是治療病人的心理，病患來到慈濟，身心的病全都能治好。讓病人恢復身、心健康，就是我們醫療的成就。

在教育方面，慈濟護專第一屆學生已在民國八十年畢業。第一屆的學生畢業後，分布在全省各醫院工作，個個表現優異，得到各醫院的肯定。在教育方面，我們可以說已經跨出了成功的第一步。慈濟護專雖然是新學校，但是我們培養孩子們懂得互相感恩、互相關懷，這就是我們教育成功的地方。所以，有人說：「慈濟教育出來的孩子都很乖，他們的形象、氣質都很好！」我除了要感恩老師的用心教導之外，更加要感恩懿德母姊和懿德爸爸們，共同來關懷這些孩子，讓他們覺得來到慈濟護專，又多了幾個溫馨的家庭，多了好幾對菩薩父母。所以學生感覺來到這裡，成為慈濟人，是走入菩薩的道路。

至於慈濟醫學院，則積極籌備於八十一年開工動土，預計八十三年招生。

總而言之，醫療教育志業方面，我們已經往前邁進一步。另外，我們更不斷地推動文化志業。現在已經跨越了台灣海峽，傳播到大陸，像「靜思語」也在大陸出版了；甚至又翻譯成英文，讓國際人士閱讀，而且在美國及其他國家都有我們的文化工作。八十年度還有新聞局和勞委會主辦二十四場演講，由慈濟委員現身說法，將慈濟精神帶到鄉村、都市，這就是慈濟文化的成果。

這一切都是大家用心推動的成果，所以我們彼此感恩。慈濟世界有一個共同的語言，就是「感恩」；我感恩你們，而你們互相感恩，又回過來感恩師父，「感恩」真是慈濟人的共同語言。

這些是對過去一年的回顧，而未來我們還有很遠的路要走，希望大家堅持恆心，這是我最大的期待，更希望大家肩併肩、手牽手共同邁向菩薩道。

日日好日，年年好年

人的生活若能「日日過好日」，則「年年是好年」！

通常人們總是在年關時特別忙碌，慈濟人也一樣，在這樣的日子裡特別感覺這個大家庭的和諧，這景象使人感到很溫馨。凡是有慈濟人聚集在一起的地方，總是令人覺得很美好。在慈濟醫院的望年會上，我深深感受到年輕人那股朝氣。平常看他們很盡責地固守在自己的工作崗位上，一旦大家聚在一起歡樂時，每一個人都很大方、活潑又天真。在慈濟這個大家庭裡，有很多都是上了年紀的，大家集會聯歡，原以為會比較不那麼朝氣蓬勃，但我看到上台表演的志工，幾乎都是祖母級的，安排的表演節目，一點都不輸給年輕人，甚至比年輕人表演的水準更好、更吸引人。

平常他們以志業精神來發揮內心深處的愛和良知，以無私無染的愛照顧貧病患者，慈濟委員平常生活中，日日心存慈悲大愛，長年累月不間斷，這就是志業。平時就有慈愛精神，一旦到了歡樂時光和大家同樂，也很用心，一心想如何來娛樂這麼多的菩薩？如何來娛樂這麼多的活佛？為了要娛樂眾人，所以他們很用心地安排節目。

這讓我覺得慈濟大家庭越來越美，越看越溫馨。有人問我：「師父，您的責任擔子這麼重，會不會累啊？」我說：「說不累是騙人的，確實是很累，不過，我覺得很溫馨，我很歡喜。」在身體上及精神上說不累，是不可能的，

但是我內心卻充滿歡喜，這是每年過年時的感受。

菩薩人間化

過年時，我們的阿公阿婆和兄弟姊妹、小孩都要回來圍爐，除了領新衣、家庭用品、食品之外，還領壓歲錢。這是每一年他們最高興的時刻。我們會設宴席請阿公阿婆回來圍爐歡聚。委員們就輕聲細語，當作是自己的父母一般孝敬，甚至於當作是活佛一般敬愛，秉持這分心來扶持他們。其實物質上的供給並不算什麼，最重要的是真正的溫暖他們的心，這才是長年「受用」的。

愛的工作要用心發揮，才能皆大歡喜。希望我們做任何事都要用心，發自內心最誠懇、最高度的愛，這才是人生真正的幸福，才是人間的菩薩淨土。我常說：「佛法要生活化，菩薩要人間化」，佛法生活化就是我們要時時刻刻接受佛陀的教育，將佛的教法聽於耳根，銘記於心，並表現於言談舉止、生活行為上，這才叫做「佛法生活化」。「菩薩人間化」，就是要我們時時刻刻聞聲救苦，看到那裡需要幫助，我們就及時現身相助，這才是菩薩人間化的真正意義。

第三講　種如意因，得如意果

人格成熟，佛格圓滿

每年的十二月，大家總是忙忙碌碌，為那些長期受慈濟照顧的人準備吃的、用的、穿的，並且設席接待他們，希望他們可以過一個溫暖快樂的新年。

今年（民國八十一年）也是一樣，尤其今年，他們一定感覺更溫馨。因為往年我們的場所窄小，都是在外面搭一個布棚，棚下擺桌椅，儘管飯菜是熱的，但若是有風雨時，總感覺到絲絲寒意。而今年，雖然我們的新房子還在進行工程，不過總算可以讓他們坐在建築物裡，安安穩穩地吃飯，不怕風也不怕雨。

而當天竟是一個無風無雨的日子，特別讓人感到溫馨。尤其，看到他們從外面進來，我們的委員就趕快伸出輕柔的手，攙扶著阿公阿婆，或是摟著他們的肩頭，輕聲細語地問他們：「阿公，最近身體好嗎？」「阿婆，近來怎樣？」阿公若說：「唉呀！我最近身體不太好，頭痛啦！」委員就會安慰說：

「阿公，年關快到了，我們快去看醫生，作檢查、服藥，就會好多了。」「阿婆啊！我帶您去，醫生在那兒等我們呢！病況好了，身體就會更健康。」委員們親切地招呼，就像對待自己的阿公阿婆、爸爸媽媽，這分愛深深融入他們的心窩裡。

這就是來此過年的第一道暖流，這分愛融入了他們心底深處，不論對方的智識高低，或是年歲較大、較遲緩，都可以感受到這大家庭對他的關愛。而他們那分歡喜等待的心、那分快樂，我們也都體會得到。雖然大家付出愛心在阿公阿婆及照顧戶的身上，卻感受在我的心裡。所以我時時都很感恩啊！

為什麼我們每年都要請阿公阿婆回來過年圍爐呢？因為很多有親屬家眷的家庭，年輕人到外地，都是等到過年時才回家探望父母，和家人大團圓。但那些孤老無依的人卻倚門扶壁，看左鄰右舍的兒孫們歡天喜地從遠地回來團聚，心裡一定倍感淒涼。所以我們請他們回到慈濟大家庭圍爐過年，感受大家庭的親切與溫暖。

在慈濟裡，我們不斷地彼此鞭策、互相鼓勵，我們所聽到的就是愛，所看到的也是愛，大家很辛苦、很努力地付出，但人人都一樣感恩。要如何才能真正地付出愛？要如何才能真感恩呢？其實就是學佛的教育。佛陀告訴我

們：「修行學佛，要成佛必須先成就人格。」而培養人格要先建立做人的規則，人的規則不能離開愛，愛不能摻雜煩惱、污染。所以我們必須將我們內心的煩惱去除，才能存著最清淨而無所求的愛。人的煩惱都是從何而來？對一般人而言，就是那「一點氣」——瞋怒心，若能忍辱善解，進而感恩，則一切逆境都是修學的逆增上緣。

立志，不爭氣

屏東有一位才十一、二歲的小朋友，老師教他每日寫一句好話，他在一篇作文中說：「最近老師每天印給我們的〈靜思語〉中有一句話——『做人要能忍，不只要忍，還要吞下去，並且消化掉！』若被人欺負就要忍，而且要把它吞下去。」本來他們班上有三位同學，常常欺負他，而他也很討厭他們，他自從抄寫這句話後，若被欺負，他就想：「我要忍，我一定要忍。」他深深覺得忍辱才能美化自己，漸漸地他發現這三位同學對他很好。他說：「原來不是他們會欺負我，是我不肯讓他們，常與他們爭氣。」他學了「忍的功夫」而得到別人的愛，自己也得到很大的歡喜。所以他在那篇文章說：「師公，這都是您賜給我的好話，從現在起，我一定要學這個好功夫，一直向您

學，學到將來跟您一樣。」

學佛就是要這樣，小小的孩子，在學校只是每天抄「靜思語」，就能立志將每一句話拿到日常生活中去應用，彼此忍讓、互敬互愛。

最近我常說：「做人不可爭一口氣，要爭『一點志』。」我們既然立志於慈濟的四大志業，不論遇到什麼逆境，一定要定下心，一心一志向四大志業前進，時時抱持清淨的愛待人處事。學佛、修行菩薩道，先要建立人格，人格是以愛做為原動力，愛不能摻雜一點點煩惱。這樣，人格才能成熟，佛格才能圓滿。

恆心、感恩心、歡喜心

這幾天我從花蓮出發，繞全省一圈回來，短短幾天走了千里路，看盡千里風光。幾天前，我們在花蓮舉行歲末聯歡會，這是北、東區的委員聯誼會，而中、南區則因本會場所窄小，而且路程遙遠，所以我就專程前去與大家聚

會，以減少眾人往返的勞累。

我每回往南行，必定經過鹿野，鹿野是我當年離家時曾經落腳之處，當天台東的委員聚會於鹿野，大家熱情地共進午餐，令我感到很溫暖。

經過了台東，走南迴公路，我也感慨萬千。想到當初尚未出家以前，和修道法師從高雄出發，毫無目標，不管南下或北上，只要有車就坐。後來隨著公路局的車沿著南迴公路走，那時侯的路非常窄，一邊是山，一邊是海，風景雖然美，但是走在這條路上，卻是百感交集——離鄉背井、人地生疏、無依無靠……，而現在前後左右都有同行的人，讓我感覺到，人生真像是一場夢。三十年前，雖然感到很孤單，但是那平淡清淨的環境，也很值得回味。現在雖然有這麼多人在一起，為社會、為人群推動慈善工作，但每天都是忙忙碌碌、身心交瘁，一點也無法空閒，這一切都是因緣所成。

磨掉不好的習氣

車行到屏東，覺得時間過得真快，預定四點到達，但時間緊迫，深怕趕不上約定的時間。即使如此，我們仍然保持安全穩定的速度。最後終於準時到達了目的地，遠遠就看到我們的慈濟人——慈誠隊、委員列隊歡迎，整齊

浩蕩的隊伍，實在令人感動，下車時大家一陣歡呼，隨後就趕快安排授證。

這次台南、高雄、屏東、澎湖等區，推出一百多位新委員，看他們聚在一起，一片和睦、歡天喜地。雖然我們坐了八個鐘頭的車程，看大家這麼歡喜，所有的疲勞也都一掃而空。

授證時，我為他們說一些鼓勵的話。當晚有一千多人聚在一起用餐，沒有一點雜音，當我走過去時，他們才發出歡喜感恩的聲音，使我感覺慈濟這個團體的真善美。儘管大家年齡不同，有的人已高齡，有的人還那麼年輕，有的人受那麼高的教育，有的人普通學歷，但大家相處在一起都是那麼真誠、那麼善良，實在令人很欣慰。

晚飯後，為他們發紅包。在我的眼裡看來，每個人都很年輕，像孩子般聚在一起，有如大家庭的子女聚會。之後還有聯歡晚會，舞台雖然不是很大，卻也充滿了喜氣，他們表演唱歌、跳舞。有一位四、五歲的小朋友，不但會唱慈濟護專的校歌，還會比手語，很可愛。而七十幾歲的老菩薩，也上台去比手語，手勢輕柔，動作優雅，看不出來已經七十多歲。大家都很用心，彼此同歡同樂！

南部地區的委員和慈誠隊合起來已經有一千多人，增強了慈濟許多的力

量。慈濟志業的成長，全靠大家的力量，委員不只有一分熱心，也抱持著恆心，還時時抱持著感恩心，更有歡喜心，所以慈濟才能發揮淨化人心的功能。

大家有心入佛門，應該堅定修持佛法的心志，學習引導家人在社會上建立美好的家庭，使他們對社會都有所貢獻，這是我們應該用心的。而要領導他人，必先端正自己，一切言語動作，都要很檢點。時日能累積我們的學業，時日能累積我們的道業；人都有習氣，養成良好的習慣，修正舉止動作的形態，這叫做修身、修心。而修行無非就是要修養身心，慈濟世界就是一個最好的修行環境。我們的對象是社會人群，所以要不斷警惕自己，自導化他。

我們的生命隨著日子一天一天地消逝了，今天的習氣不斷除，不知道還有沒有明日好讓我們去掉習氣，所以我們應該要好好把握時間，去除不好的習氣，守持佛法聖教、學習威儀，這是最要緊的。

精進善業，防止惡業

冬天已經過了，新春展現於眼前，春天是氣候最宜人、感覺最舒服的季節。大地一片回春的景象，樹木花草因春天帶來的朝氣而欣欣向榮。台灣四季如春，即使是冬天，放眼望去仍是綠綠油油的一片，樹木還是青翠茂盛。而大陸從秋末開始，就必須準備過冬的糧食，因為冬季嚴寒，連續四、五個月無法耕作。若是較貧困的人，只好坐吃山空，他們所期盼的就是春的來臨，春天來了，才能開始耕作、下種，期待豐收。所以他們非常盼望新春的來臨，一到過年，逢人就說：「恭喜發財！恭喜如意！恭喜豐收！」

在台灣，因為四季如春，生活比較不受氣候的影響，所以人人「日日歡喜」。一年十二個月，士農工商照常可以工作，生活安穩富足。不過話又說回來，大多數的人都有懈怠心態，大家應該在舊年已過，新年來臨時，警惕自己——是日已過，命亦隨減，眼前的日子還有多長呢？尤其是學道的人，要

警惕生命時光消逝當勤精進，不可像過去一樣散漫、懈怠。隨著新年的來臨，要有新展望、新的生活，捨棄過去的懈怠，安排未來的生活。

不識佛法，人生空洞

人生，過去的如水流逝，不必再回憶；而未來的很遙遠，也不必想太多；我們應該注意現在，所以佛陀教我們要捨煩惱。

每逢過年，精舍的屋裡屋外，都會再打掃清潔，除舊佈新。其實，屋子每天都要清掃，因為我們也希望每天看到乾乾淨淨、沒有灰塵的環境。而人的心地，更是需要日日掃除煩惱垢穢。人生幾十年的時間必須精進不懈，不可將時間白白浪費。不識佛法的人，過著空空洞洞的歲月，我們認識了佛法，就要踏踏實實的過一生。

為什麼不認識佛法會空洞呢？因為，一般人隨著社會潮流而追逐功利，到頭來又能得到什麼呢？歲月消逝，人會衰老，到了最後一天，除了「帶業」而去，還帶些什麼呢？人如果不知道「業」是怎麼造成的，也不知道將來帶著什麼樣的「業」離去，只看到眼前的功利、鬥爭，那麼，必定是過著虛浮空洞的日子。

學佛之後，應該知道日子要怎麼過，知道自己所做的一切舉動，到底那一樣是惡業？那一樣是善業？而且要預防惡業，也要精進善業。精進善業必須愛惜時間；防止惡業必須小心謹慎，不懈怠。未來的路應自己選擇，應該走光明康莊的大路呢？或是落寞的小路呢？當然，佛陀教我們力行康莊的菩薩道路，我們所要學的即是菩薩的精神。

將眾生安危擔在肩頭

既然要學菩薩精神，走菩薩的道路，就必須時時立下善的心願。若有人問我：「師父，新年您發什麼願？」我還是和往年一樣：

一、不求健康，只求智慧充足、精神明睿。若有很明朗的精神，有很充足的智慧，這一生的道路就可以走得很正確，思想、言語、動作就不會有錯，能夠分清善惡業；而慧命就是由這精神所培養起來的。

二、不求事事如意，只求有足夠的信心、毅力、勇氣。我們既來世間，就會帶著過去所造的業因，既然有因必有果，在因果之間，更應該要了解，若沒有種如意因，要求得如意果，當然是不可得。況且人生幾十年，難免坎坷，所以求事事如意不可得，我只要求有足夠的信心、毅力和勇氣。即使遇

到人生的坎坷不如意，只要有這股信心、毅力、勇氣，自然就能度過重重難關。

三、不求減輕重擔，只求增加力量。有些人要求步步高升，減輕責任，我認為，人來世間能夠負起責任就是福，尤其是出家修行，擔荷如來家業，普天下的眾生何其多啊！怎能減輕責任呢？我不怕責任重，我只希望增加力量，人多力大才能將如來的家業、普天下眾生的安危擔在肩頭。

我每年都是這樣發願，也希望和大家共同勉勵。

第四講　化解眾生迷情

用慧命開拓菩薩道

電視新聞報導，美國南加州下了一場百年來未曾見的大雨，洪水滾滾，將房屋都淹沒了。連再大的車子都被大水沖走，甚至有人坐在車內，連車帶人捲入漩渦中。一個十五、六歲的年輕人，在滾滾洪水中求救掙扎，大家想救他卻已來不及，就這樣眼睜睜地看著他被洪水吞噬。這一點一滴的雨水匯集，變成大洪水，沖走了寶貴的生命及幾百年建立起來的心血。原本大家都以為，南加州是一個難得下雨的地方，沒想到，雨勢一來卻不可收拾。

這讓我想起，民國八十年七、八月間的大陸華東洪澇，那真的是世紀大災難，一大片的土地禁不起幾天大雨的襲擊。所以佛陀說：「人生無常，國土危脆」，即使多壯觀宏偉的山河大地，遇天災降臨時，瞬間即毀壞變形。到底世間何處才是真正安穩的地方呢？難怪佛陀教我們「觀受是苦」——觀察世間無常，諸受皆苦；唯有修行才能得解脫。

首先要知道世間是苦，沒有真正快樂的地方，因為人的生理有生、老、病、死，心理有生、住、異、滅，宇宙山河有成、住、壞、空，無法做為永遠的依靠。

人身體中的細胞新陳代謝，每一秒鐘都在生滅，分秒不停歇。因此，人會漸漸地老化，即使再健壯的身體也會漸漸衰弱下去，但這衰弱是緩慢而不自知的。當然，也有人忽然得了一場急病，如癌症，體內有很可怕的病菌潛伏，平時都不知道，等到自己覺察時，就不可收拾了。人的身體能恆久依靠嗎？

就像美國這一次的洪水，平常我們都聽說那兒很少下雨，新聞報導中還說，美國有一首歌──「南加州從不下雨」，可見那兒真的是很難得下雨，而且還被編成歌來唱。但是誰料得到，難得下雨的地方，竟然也會鬧水災？其實人身體內有逐漸累積的病源，宇宙天地間也有慢慢累積的劫難，有朝一日終究會迸發出來，造成災難。

佛陀要我們看清真象，才能明白世間有種種的苦是「很正常」的現象，每個人都逃不過。既然人生多苦難，而且連山河大地都是生滅多變，許多人卻為了名、利、產業……，為所有的一切操心計較，這又有什麼用呢？因此，

佛陀告訴我們要看清無常，要知道生住異滅的道理，並追求一個永恆的目標。何謂永恆的目標？就是要「重視慧命」！

清淨不生滅的慧命

生命，包括物質上的軀體及精神上的慧命，人無法保證身體永遠屬於自己；雖然年輕時很活潑、很可愛，卻無法永遠留住最可愛的時刻，而老化時又擋不了生命的流程，那麼，太愛惜自己的軀殼又有什麼意義呢？所以佛陀教我們愛惜慧命，慧命沒有年輕也沒有年老時；不會變形，也沒有美醜，能配於天地，在宇宙間永遠常住。慧命是最恆久可靠的，所以我們要好好探討這股清淨不滅的慧命。

佛陀又教我們，不要留戀大地上的一切物質。因為物質都會生滅，高山大地都有變化破滅的時候，山會成海，海會成陸，所以，怎可執著留戀？唯一可依止的只有康莊大道和寂光淨土。寂光淨土是佛的境界，而康莊大道是菩薩必經的歷程。我們應該要好好體會，這條菩薩道是千古不滅的。不管山河如何變遷破滅，菩薩的道路是永遠不變的。

希望大家都能好好守住這分道心，應用生命的功能於人群中，用我們的

道心來開拓菩薩道路。

有人說：「要開拓菩薩道路，好啊！你們去開拓，我跟著走就是了。」其實，每一條菩薩道路都要靠自己去開拓。它不像世間的道路，只要民眾繳稅，政府開路，就有馬路或高速公路可走。菩薩道的每一分、每一寸都要我們自己去開創！

菩薩道路必須生生世世勤於灌溉，只要我們肯拿起鋤頭耕耘，撿拾碎石頭，將菩薩種子播種下去，那麼這條路就會漸漸寬廣。最怕的是，你不肯去拿那把鋤頭，不肯俯身去撿那些石頭，不肯一步步地往前。

我們應該知道「布施勞力」，比「布施金錢」更重要。有人說：「我有錢！若想要有一條菩薩道路可走，我拿錢給你們去開路就好了！」這只是種下「人天福」而已，菩薩道路沒有人能替你走，也沒有人能替你開。

菩薩的道路是永恆不變的，和危脆的世間山河形成強烈的對比。山河看起來是如此的壯觀，卻禁不起「四大」（地水火風）不調啊！兩伊戰爭已過了整整一年了，伊拉克破壞的油田，一直燃燒到現在，黑煙污染了空氣，連地底下蘊藏的能源都被破壞了，火燒不止，就是「火大」不調。

土地底下藏有火源，更有地震。幾天前，東京有一場五、六級的地震，

震毀了很多房子，這叫做「地大」不調。而「風大」不調，就是例如颶風一來，再高大的樹，都會被連根拔起，再大的房子也會被吹傾倒。因此，大地山河雖壯觀，仍經不起四大不調。

唯有菩薩的道路，無法被外在所紛擾破壞。因為這條菩薩道路，是用我們的慧命所開創，慧命無價，菩薩道路康莊坦蕩。所以我們要好好愛惜慧命，認真開拓菩薩道路，這必須要用「心」身體力行，不是只花「錢」了事。若能如此，生命即能永恆。

大我有情，眾生迷情

學佛的目標是成佛，只有一條路能直達佛的境界，那就是菩薩道。佛陀來人間說法四十九年，在前期都是開方便法門，一直到暢演法華經時，佛陀才顯真實相，告訴弟子過去所說的法都是方便法，希望佛弟子能從菩薩道直達佛的境界。

要如何做才稱為「菩薩」？菩薩的意思是「覺有情」——已經覺悟的有情眾生。而「眾生」，就是迷情。眾生與菩薩只是覺與迷的分別而已。「覺」是覺悟，能體悟天下眾生本性一如，這叫做「大我」。而「迷」呢？就是眾生分別小我個體，我是我，你是你，他是他，把整體的大我分割成你、我、他，就會有分別心；有了分別心，煩惱即生；有了煩惱就開始造業；有了業，就有苦樂。

苦樂的分別，不在於錢，只在一個——「情」字。有錢的人快樂嗎？老實說，往往有錢的人比沒錢的人更苦！那是因私情起了變化，失去單純清淨的情。

三、四年前，我曾聽過一個大企業家族的故事，這個家族裡的一個兄弟告訴我他很苦惱。我說：「你為什麼苦惱呢？你們家業那麼大，要名有名，要利有利，你有什麼好苦惱呢？」他說：「現在，我實在很不希望有名和利，名和利只會讓我心煩。」我問他：「你如何覺悟的？」他說，他記得很清楚，小時候雖然家境貧困，父親和姑姑兄妹倆卻都很和睦，妹妹尊重大哥，什麼事都讓大哥；做大哥的也很愛妹妹，有什麼東西，都會先想到妹妹。看父親和姑姑的感情那麼好，無形中也影響到他們三個兄弟。

記得那時候他們常常窮得沒飯吃。有一天，上學之前，他母親勉強在鍋裡撈出兩碗八分滿的稀飯，但是兄弟有三人，這兩碗八分滿的稀飯到底要給誰吃？那時他們三兄弟互看一眼，大家都說：「我不餓。」大家讓來讓去，最後那兩碗稀飯還是留在家裡。這三兄弟揹起書包出了大門，大哥才說：「老實說，我肚子好餓呀！」老二說：「我實在很想將兩碗稀飯通通吃下去，不過一想到爸爸和媽媽他們今天還得辛苦工作……。」最小的弟弟說：「我想爸爸一定又要留給姑姑吃，我即使餓了，也不敢去吃啊！」就這樣三兄弟空著肚子到學校。

名利帶來煩惱情

後來他父親由做小生意擴展到大生意，成為一個企業家，他卻發現父親和姑姑的感情已經慢慢變了。最初父親將姑姑安置在公司裡，她嫁出去後，仍讓她回來幫忙。後來，姑姑開始要為她先生爭取一個職位。但姑丈的工作高不成、低不就，於是憤而挑撥是非，從此父親與姑姑的感情慢慢疏離，甚至姑姑還回來和父親計較她應分得一份財產。為了財產，這對親愛的兄妹感情破裂了。不只是上一代的感情破裂，甚至連下一代、姑表兄弟姊妹也開始

結怨連仇了。

不只如此，他自己的親兄弟也一樣。他說：「我現在最頭痛的，是我們三兄弟感情本來很好，現在卻因為父親身體不好，大家就開始計畫——我想要那個公司、我要那個工廠、我要那一塊土地……。我實在很煩，身為大哥，我不知如何去說服兩個弟弟，不要讓父親煩惱。」他父親已經住院，每當醫生來診治，他父親就說：「不用看啦，我的心病都醫不好了，怎能治身病？一天到晚被兒子氣、被妹妹鬧，對人生真的感到很灰心。」

他雖然是很灰心，卻不是真正看破，若是他能做一些有益社會的善事，我想，他一定會解脫自在。但是他到了最後的一口氣，還在操心要給那個兒子多少？要給那個兒子什麼工廠、什麼公司？要如何將妹妹所要的部分撤開來？不讓妹妹占太多便宜……，他活著的時候辛辛苦苦地創業，而離開人間也是煩煩惱惱地帶走他的「業」。

這位年輕人告訴我他的家庭問題。他說：「得到名和利，卻失去珍貴的親情。當初家境窮困時，兄弟還互相禮讓兩碗稀飯，而現在就算我要將家業讓給他們，他們兩個還是互不相讓；而且即使我想放手不管也沒辦法，因為我要對父親有所交代。」

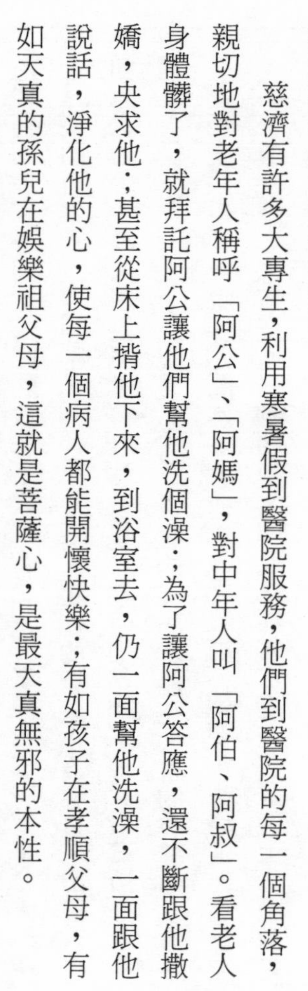

想想看，這是不是煩惱呢？他們把情投注在財、名、利上面，互相爭執，這就是迷情。本來兄弟是同一體，兄妹也是同胞手足，這個家族應該是同一個血統，就學佛者而言，這是一個大我！但是他們卻把這個大我割得零零碎碎，把親情變成煩惱情。

行菩薩道，行實相義

學佛者學的是覺有情，視普天下老者為我們的父母，和我們年齡相彷的是我們的兄弟姊妹，幼小的是我們的子女，把普天下的人都當作我們的同胞，這唯有學佛者能做得到。

慈濟有許多大專生，利用寒暑假到醫院服務，他們到醫院的每一個角落，親切地對老年人稱呼「阿公」、「阿媽」，對中年人叫「阿伯、阿叔」。看老人身體髒了，就拜託阿公讓他們幫他洗個澡；為了讓阿公答應，還不斷跟他撒嬌，央求他；甚至從床上揹他下來，到浴室去，仍一面幫他洗澡，一面跟他說話，淨化他的心，使每一個病人都能開懷快樂；有如孩子在孝順父母，有如天真的孫兒在娛樂祖父母，這就是菩薩心，是最天真無邪的本性。

希望台灣能有更多像這樣的人，使台灣成為一個淨土、一個菩薩修行的

訓練場所，這是我最大的期待。對於這分期待，我真的很有信心，因為這和世俗功利的追求不同，佛陀的教法所成就的是智慧之體，也叫做慧命。母親是十月懷胎而生子，而佛陀是「從口生子」，將他的智慧化為聲音，由口說法來淨化人心，教導人將生命體轉為慧命體。慧命不會顛倒，覺悟之情不會互相違離，只要能保持大我的慧命存在，整體的佛法就能在大家的心靈中交流。

我們既然得了人身，聽聞佛法，並走入菩薩道，就要步步精進，念念連結，不可讓菩薩心念有任何一點間斷，如此才能常常走在菩薩道上，不致迷失。

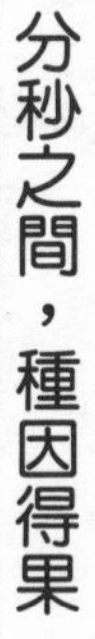

分秒之間，種因得果

清晨早課禮佛，大家都很虔誠，誦經持咒或是讚佛，聲音都很和諧，由此可知，當時大家的心境是多麼恭敬虔誠。禮誦之後靜坐。靜坐時，我們也必定要統攝心念。

靜坐無非是在調身、調氣、調心，靜坐時，身體要坐直，心要專於一念。心思要如何才能專於一念？那就要藉著調氣。用我們的精神觀想自己的氣息，從丹田呼出，吸入也回歸丹田。可以做「數息觀」，也可以「念佛觀」。

「觀」就是觀想。觀想氣息從丹田出入，從一開始數，一面慢慢吐氣，一面數到十，數完之後換成吸氣，再從一數到十，這就是「數息觀」。以「數」數字來控制自己的心思，用調氣來調和身體的血液循環，如此即是調身、調氣、調心。

有的人則在數息間念佛，一呼一吸一句佛號。不論是「數息觀」、「念佛觀」，或是「四諦觀」，主要都是為了調理身心，而最簡單的方法即是數息或念佛。

參禪是為了求神通嗎？不是！打坐也沒什麼奇妙，只是為了讓心境自在，毫無雜念。能將氣息調整得順暢，身心自然會覺得輕鬆，這即是「輕安」，身輕心安，就是打坐最好的境界。

有的人將打坐稱為坐禪，甚至在打坐當中，會想追求見到某種境界或聽到某種聲音，這是很危險的。打坐是把身心調整好，若說能看到、聽到什麼，那已經是走火入魔了，必須趕快放棄，不可再執著。許多人很專心學佛，也

很熱衷打坐，我希望學佛者在打坐時要很謹慎。應該要抱持正確的觀念，只要身輕心安，調心調息，即得自在。絕不可為了求神通、求千奇百怪的幻相，排除這些散心雜念，才能清淨地打坐。

其實學佛最重要的就是一念心。人生一切的思想，一切的動作，和我們生活上的感受，皆不離開一念心。佛陀告訴我們：如是因、如是緣、如是果、如是報。因緣果報都在日常生活當中形成，若種下一個好因，即會得一善果。

我們常祝福別人健康、平安、吉祥；健康是果，平安是果，家家吉祥也是「果」，但我們卻不會對別人談「因」。什麼是因呢？想要身體健康，就必須先種健康的因。身要健康，就要心先健全。要如何才能健全心念呢？就是要除去貪、瞋、癡。

心若有煩惱，就會起癡念，癡念一起，就會陷入蒙昧的狀態。很多人到醫院檢查身體時，總是訴苦自己全身都是病，但醫生卻找不出原因，最後醫生的結論是——心理狀態出了問題！這就是心的癡念，心的煩惱太多，自然覺得身心沉重不適，因為心不輕，所以身無法安。學佛者所要學習的，就是要時時清除內心的垃圾、種健康之因。有了健康的因，才能結健康的果。

行住坐臥，無一不是禪

慈濟委員經常去查訪個案，有些老人年紀雖已老邁卻很健康，委員關心地問：「阿伯啊！你的屋子夠溫暖嗎？衣服夠嗎？吃得飽嗎？」八、九十歲的老伯回答：「我住這裡已經很好了，我穿這樣也感到很溫暖，吃的、用的也很滿意了。」儘管在一般人的眼中，這只是最基本的溫飽，但他非常知足，因為知足，所以無所求，有人去探訪他，他都很開心，不會抱著「你們來看我，一定要帶東西給我」的念頭。像這樣的人，即使已經八、九十歲，身心都非常健康。

也有些人，你一去看他，他就裝得有氣無力，並開始訴苦：他欠缺生活物品，如何困苦……。你若問他健康嗎？他就會說：「全身都是病。」可見生病也是由心念而起，所以，我們要照顧好內心的健康因，身體才會健康。

而吉祥也是一個「果」，吉祥就是歡喜、事事如意、人見人歡喜，而且所聽到的話、看到的事，也都令自己歡喜。要造吉祥的因，必須先讓別人見到我們就起歡喜心，如此見到別人才會歡喜；要使別人見到我們覺得心安，很有信任感，本身行為就須端正並善體人意。然而現今社會，人與人之間都有

一種防衛心，彼此戒懼，這樣怎會吉祥呢？

想要日日過好日，就要事事做好事；若要事事做好事，就要時時做好人；若能時時做好人，則所做的事情每一件都是好事。進一步而言，若能事事是好事，日日是好日，累積起來，則年年是好年。

總而言之，慈悲喜捨是學佛的中心精神，拜佛打坐也是要調好自己的心思、觀念。人的觀念若有偏差，一切動作都是在造業。若損人利己造惡業，則見到對方時，心裡也會很不自在，沒有好日子過。所以我常常說一句話，人要時時抱著「過分秒關」的心理，分分秒秒都要很謹慎，一句話都不能說錯，一件事都不能做錯，隨時顧好自己的心。

過去的祖師說：「擔柴運水無不是禪，行住坐臥無非是禪。」即使是在吃飯、喝茶，也不離開禪啊！意思就是說，分分秒秒要顧好自己的心，在分秒間能顧得好，自然日子就過得平安。這種平安、健康、自在、吉祥，都是在分秒中累積而來。

持守十戒，一片清淨

慈濟現在需要年輕人的學識與才幹；而現在的社會也很需要慈濟這股清流，若能以慈濟清流來淨化青少年的心，這個社會一定更祥和。

我希望加入慈濟行列的年輕人，遵守規則——持十戒。前五戒是佛所制，凡是佛教徒必定要守持，這是根本的五戒。另外的五條規則是慈濟為他們制定的，也是五戒衍生的，因為現在的社會有這五種毛病，所以必定要為他們預防，不可犯了這五種毛病。

第一：是禁吃檳榔和抽菸。

現在政府一直在提倡環保、全民健康運動，不可吃檳榔，因為只要有吃檳榔的人，不管是牆角、地上，或是垃圾桶……，到處都不清潔。而抽菸除了有礙環境衛生之外，對身體損害也很大。譬如現在肝癌、肺癌很多，就是因為抽菸（包括二手菸），想要有健康的社會、幸福的家庭、健康的人生，就

必須戒菸。所以我希望慈濟人戒菸、戒檳榔。

聲調輕柔，不賭博

第二：是聲色柔和。

現代社會，大家的知識水準雖然提高，禮節卻較差；要倡導禮節，就必須聲色柔和，穿著整齊樸素。

一個社會的形象，在於人的穿著和聲色。若想知道社會的變遷，只要看大眾的穿著就能知道。最敏感的，就是女人的服裝。天氣尚未變熱，就有很多人穿起迷你裙，西方國家才開始在服裝設計展，台灣很快就流行穿迷地裝了；奇形怪狀，短的超短，長的超長。更令人覺得奇怪的是，明明是很富有的人，偏偏愛穿乞丐裝，這實在是怪異的社會形態。

因此，如果希望我們的社會很純真、很樸素、很端正，就要從個人的形象、穿著來表達，我必須提醒青少年，注意他自己的穿著、儀容，希望他們能端正素質。男孩子的頭髮不可留太長，女孩子的頭髮不宜剪短；男孩有男孩的氣慨，女孩要有女孩的氣質。我希望他們注意禮節儀容；而且，說話的聲調要輕柔，不可粗魯。

第三：不可賭博。

現在的社會有很多陷阱，譬如六合彩、電動玩具、大家樂，都會令人迷失心智。曾經，一位媽媽帶了一對年輕夫妻來，那位媽媽跟我說：「我這個兒子實在不乖，從小就離開家庭，在外闖蕩，都不學好，現在又迷上六合彩和大家樂，結婚後，還是不改，一輸就上千萬元。現在，夫妻又要鬧離婚，希望師父能開導開導他們！」

我對他們分析了一些人與社會的關係，勸他們在社會建立一個好人生，把握時間，若賭大家樂、玩股票，或者是去賭博，都會付出痛苦的代價。他們夫妻坐在那兒仔細聽，我又說：「這個時候不必去指責對方，從今天開始，你們夫妻兩個應彼此改過，人與人之間都是缺乏愛，都是不滿足，現在你們兩個人都要先為對方著想：『我要先付出』，『我要先原諒對方』，『我要先改過』，不可只等別人付出、等別人原諒、等別人先改過。」我希望他們兩個人抱著心結來，手牽著手回去。他們答應我了。

他年紀輕輕就玩大家樂、六合彩，喪失了意志，而且輸掉幾百萬、幾千萬元，惹得母親如此痛苦，太太也無法接受，這樣的人生是不是很可憐呢？所以我對所有的年輕人說：「若要加入慈濟，必定要戒賭。除了不賭博、不

玩股票、六合彩以外，連打電動玩具都不行。」因為一個家庭只要一個人有賭博的行為，這個家庭就很危險，這個人生也是很危險。現在的社會有這些陷阱，所以我提出這第三種規則。

現代社會需要的圭臬

第四：戴安全帽，守交通規則。

看看慈濟醫院，從除夕過年開始，到正月初四，短短幾天，來急診的就有一百七十人，其中多數都是車禍傷患。急診室的志工回來跟我說：「看了才知道真正要感謝師父關心我們，因為車禍時，凡是戴安全帽的人都沒有大礙，最起碼能保護頭部。沒有戴安全帽的，大多都有生命危險，若被救活也差不多都殘廢了。」現在，他們更了解戴安全帽的重要性。

每家醫院的復健部，都有很多年輕人，原本有大好前程，卻因車禍未戴安全帽，損傷了腦部或脊髓神經，造成一輩子的傷殘。一個人殘疾，不只是社會失去人才，也給家庭帶來莫大的負擔，所以大家一定要遵守交通規則。

第五：孝順父母。

現在家庭倫理日趨沒落，上一代與下一代有代溝。我希望慈濟人能發揮

人性的美德，提倡孝道，這是慈濟人的資格和規矩，也是做人的基本。

以上這五條規則是想做慈濟人所應該遵守的。

佛在世時，大家穿著都很保守，現在則因社會形態變遷，千變萬化，引誘年輕人的心，讓他們眼花撩亂，無法靜下來，所以我要規範他們如何穿衣、如何說話。以前既沒有股票，也沒有大家樂，更沒有電動玩具……，沒有這麼多的陷阱，而現代社會有這樣的陷阱，我就有責任提醒大家，防範未然。過去也沒有交通問題，現在的社會有交通問題，所以我也要提醒大家，注意安全。父母辛苦養育兒女，當他們年老時應該由兒女奉養父母，這是天經地義的。然而現在的社會已經有許多問題了，所以我提倡慈濟人一定要守戒。

「慈濟青年聯誼會」中所有的年輕人，是未來社會的楷模，他們心地無瑕、一片清淨，所以我要他們預防犯錯。「戒」就是預防的意思，尚未沾染惡習，就切勿染著，好好注意；而犯了錯的人則要趕快改過。

教育只在一念心

寒假時，慈濟護專和金車文教基金會合辦兒童冬令營，讓國小三年級以上的孩子和國中青少年，認識何謂佛教？教他們了解佛法，並且教他們生活的規矩。而且還安排了「尋根」課程，尋什麼根呢？就是要讓他們知道慈濟的發祥地，及慈濟志業從何做起？小朋友回到靜思精舍時，我就對他們說話，我本以為那些孩子年紀小，大概不懂我話中的意義，可是出乎意料的，每一個人的領悟力都超出我的估計，他們真的很可愛，也很有智慧。

午齋前，我教他們端碗要「龍口含珠」，拿筷子要如「鳳頭飲水」。他們用餐時，果然每個人的碗都端得很整齊，筷子都拿得很好，他們真的很天真、很可愛，學習能力很強。

現在的父母，教育孩子好像都很苦惱，不知如何是好？其實，很多問題都出在家長和老師身上，只要家長或老師的觀念能稍作改變，教育應該不是

一件苦差事。

教育最主要的是一念心。從佛陀時代到現代，無不是要調整好人的心念。偏偏凡夫心是明知要改變觀念，卻不知從何做起，不只是現代的人如此，佛陀時代的人也是如此。

有一段時間，佛陀帶著弟子到處遊方說法。當他走到一片竹林時，就在那兒講經，有一位居士也在那兒聽經，佛講經完畢，這位居士就站起來，走到佛的面前，非常恭敬地合掌頂禮，請佛開示。他說：「佛陀的教育令我很感動，明知自己有很多不好的習氣，卻不知從何改起？」佛陀看他那麼虔誠，就問他：「你從事什麼行業，你過去做什麼？」這位居士猶豫一下就說：「年輕時，我替國王照顧象，從幼象時期就調馴至成象。」佛陀就問他：「那你如何調伏象？使牠能很穩定的讓國王使用？」他說：「要調伏一隻象，必須用三種方法，第一種就是用鐵鉤鉤住象的鼻子；再者是讓牠挨餓；第三種是要以長棍來鞭打牠。」

佛陀就問：「這三種調教方法，到底有什麼用處？」他回答佛陀說：「把象的鼻子鉤起來是為了要制伏牠的剛強，因為象最有力的就是鼻子，要教牠不能用鼻子去損害東西，只能用鼻子和嘴吃東西。第二讓牠挨餓，就是要防

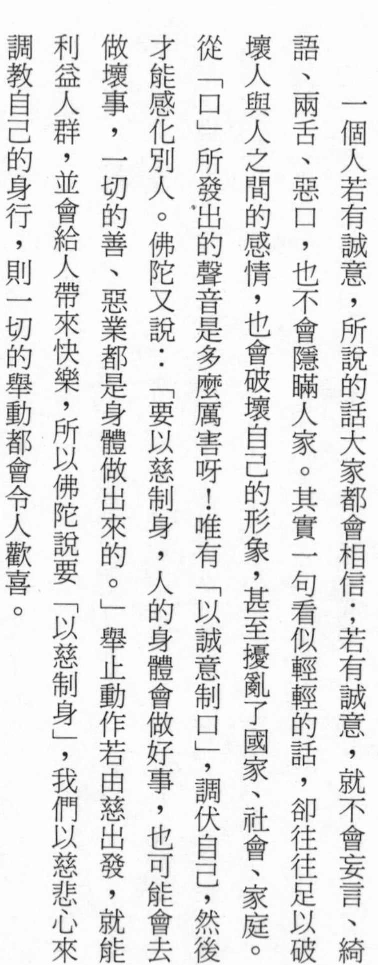

止牠長的太過粗獷。大象非常有力，一旦讓牠吃飽，牠的力量會很大，若發狂起來，實在是萬夫莫擋；所以要讓牠挨餓，牠才會聽話。而鞭打牠是要調伏象的意識，使牠的意識能夠順服，不讓牠隨意撒野，能夠隨著人的指揮而動作。這就是訓練象的三種方法。」

佛陀聽了之後說：「我也有三種方法可以調教自己的心念。」佛陀就說：「第一、以誠制口；第二、以慈制身；第三、以智慧來調意。」

一個人若有誠意，所說的話大家都會相信；若有誠意，就不會妄言、綺語、兩舌、惡口，也不會隱瞞人家。其實一句看似輕輕的話，卻往往足以破壞人與人之間的感情，也會破壞自己的形象，甚至擾亂了國家、社會、家庭。從「口」所發出的聲音是多麼厲害呀！唯有「以誠意制口」，調伏自己，然後才能感化別人。佛陀又說：「要以慈制身，人的身體會做好事，也可能會去做壞事，一切的善、惡業都是身體做出來的。」舉止動作若由慈出發，就能利益人群，並會給人帶來快樂，所以佛陀說要「以慈制身」，我們以慈悲心來調教自己的身行，則一切的舉動都會令人歡喜。

佛陀講的第三個方法是「以智慧來調意」。身體的動作，開口動舌都是從「意」而生，所以必須以智慧來分別那些該做、那些不應該做。人生應立什

麼志向，該走什麼路？都需要用智慧來選擇。我們若缺乏智慧，則幾十年的時間勞勞碌碌，也無法走出一條正確的路，這種人生真是悲哀。所以佛陀說用智慧調意，就是用智慧來調整我們的意識、觀念。

如人飲水，冷暖自知

人可以調伏象、調伏畜類，卻無法調整自己的心念，凡夫明明知道這樣不行，偏偏無法調整自己的心行，實在是非常遺憾。佛陀僅以誠、慈和智慧就能調整身心，並且教導普天下的眾生，這都是觀念及方法而已。只要觀念稍作轉變，方法較為適當一些，其實「教育」並不困難。而一般人老是等別人來教育，這也是錯誤的，我們應該用心教育自己，然後再用心去教育別人，彼此互相教育，這樣社會、家庭、個人，才會顯得祥和可愛。

教育有「粗重」嚴格的方法，例如調伏大象、調伏剛強的眾生，必須以非常嚴厲的方法，而眾生也會很痛苦，又挨餓又被鞭打！這是對下等生靈的教育。而上等的人生，只要輕輕點化，身、口、意三業就能很快地調整過來了，自己能得自在，別人也歡喜。這要看是上等的智慧呢？還是下等的愚癡？這好比「如人飲水，冷暖自知」啊！

第五講　植福田，播福種

知福、惜福，化苦為樂

清晨時刻，天清地靜，但是偏偏人心會浮動。世間人就是這樣，有的人常覺得沒有人比他更煩惱，沒有人比他更命苦，沒有人比他更……，很多事情都認為自己比別人更苦。如果是有一點才華的人，自認學問不比別人差，論才幹則別人無法贏過他。這都是天地不動，自心動啊！其實我們應該要放眼看天下，俗語說：「天外有天，人外有人！」怎可狂妄自大呢？

既然來到娑婆世界，眾生所有的業，我們也同樣會有。差別只在於如何用心去轉業。若以正確的方法修行，就能化苦為樂，假使看不開、想不透，即使是樂，也會把它當做是苦。所以佛陀示現在人間，以智慧透徹苦源，他告訴我們，人生的苦樂只在一個心念，人在苦中造業，在業中也是一樣煩惱。佛陀說法四十九年，都沒離開一個「苦」字，佛陀初轉法輪，即說「苦、集、滅、道」，分析人生諸苦及苦因，並開示轉苦為樂的方法。

苦是種種業報所累積的，「苦」和「集」相連在一起，則苦上加苦，要如何破除苦和集？那就是要滅——滅掉苦，解開集。至於滅的方法要從何下手？要修行以「道」。佛陀為我們開示「六度」之道，我們可藉這六種方法度過煩惱河，使心境轉為快樂、寂靜。六度：布施、持戒、忍辱、精進、禪定、智慧，是離苦得樂的工具，也就是菩薩道！而四諦六度，是我們學佛者不可缺少的，是學佛最堅固的基礎，所以大家必定要用心。總之，世間如果沒有苦，就不用「道」來解釋；就是因為有苦，才有很多的道理可以分析。

昨天有一位大陸的學者來參觀，他對慈濟非常嚮往，很肯定慈濟的作為，他從口袋裡拿出裝有一只戒指的錦盒，他說他什麼都沒有，只有這樣東西，為了要表達對慈濟的投入，所以將這只戒指獻給慈濟，參與慈濟四大志業。

諸位，臺灣有兩千萬人口，大多生活富足，雖然，在黑暗角落還有人需要我們去幫助，但是我們舉目所見都是豪華大廈、進口的車子。而那位學者說大陸有一億零五百萬人口，人民全年總平均所得，每個人才二百元人民幣，我以為他說錯了，我說：「是不是每個月二百元。」他說：「不對，是一年二百元的收入。」由此可以知道，大陸人民的生活情形。

不只中國大陸，一位在海外常護持慈濟的委員告訴我說：「加拿大也有

很多貧困的人！」因為現在經濟不景氣，想幫助他們的人也不多，所以他計畫在那裡成立一個「食物銀行」，這個銀行不是要賣東西而是希望把慈濟精神散播到當地，呼籲從台灣去的僑胞，每個人付出一點愛心，買食物寄託在這個銀行，幫助挨餓受凍的人。他告訴我，希望慈濟也能夠在那裡成立一個這樣的定點，例如這個家庭有餘力幫助人，就可以每天多買一份食物寄放於定點的食物銀行裡，讓無力維生的人能取得食物。這是他們目前的計畫。

撒播福的種子

有的人以為「外國的月亮比較圓」，其實，這是錯誤的想法，臺灣雖然土地不大，但大家互相關心，彼此照顧，還是可以安居樂業，美國和加拿大雖然土地很大，但因種種經濟因素，貧困的人仍然不少，而且工業社會很現實，很多人認為自己都顧不了，如何去照顧別人？現在慈濟人到那裡組織了一個愛的團體，相信他們的情況會漸漸改善。

至於大陸，一億零五百萬年所得不到二百元人民幣的人口，也需要以輔導的方式來幫助他們提升生活品質。那位學者告訴我，他現在也要用心走入鄉村，去輔導他們改善耕種技術，增加收成，經濟狀況才會好轉。他說大陸

很需要像慈濟這樣的團體到那裡，為他們做精神教育、生活文化教育，輔導他們改善生活文化。

慈濟要做的事情實在很多，普天之下有多少人，就有多少苦。有錢的人，有「富有」的苦，沒錢的人有「貧窮」的苦；有錢的，是心理空虛；沒錢的，是物質缺乏，這種種都是苦啊！慈濟的工作就是要解除這種種世間的苦。

多欲為苦，要能放下貪念才會快樂，如果這個看不開，那個也放不下，事事都聚集在心上，為此煩惱造業，那就苦上加苦了，所以我們要教富有的人放掉貪念，自然就能將苦化整為零，這樣就會快樂。所以我們應該要知福，也要惜福，如果我們常常想：「我是一個有福的人，我要很惜福。」這樣一來，我們就會懂得感恩，不但會惜福，而且懂得繼續造福。現在社會需要有愛心的人，大家知福、惜福並且去散播福的種子，才不會有那麼多苦難的人。

當我聽到大陸的情形，我真希望能去探望他們的生活，聽到加拿大情形，我也很希望慈濟能在加拿大發揮功能，然而想一想，這兩個地方已然如此，更何況是衣索比亞、非洲。如果我們用心想想那些苦難的人，再反觀自己，是不是大家都很知足呢？知足的人即有餘力再造福，我們不要消耗力量，應該要趕快集中力量，為苦難的眾生奉獻心力，多行菩薩道，拯救天下苦難的

人。

超凡入聖，佛海無涯

學佛是一條很長的道路，如果沒有很大的耐心及決心，無法走到盡頭。這條路到底有多長？釋迦牟尼佛說：三大阿僧祇劫。我們現在才剛要起步，所以必定要抱著一念的決心及堅固恆久的耐心。

若要透徹世間的苦難，就一定要了解苦從何而來？世間的苦難，無非就是心理作怪，所以，必定要用恆久的耐心調整心理，心理若平靜，世間的路就平坦，也不會有人我是非，這就是修行的目的——超凡入聖。

有些人初發心行菩薩道，以為只要虔誠，則事事都會如意；只要發願，條條道路一定行得通，這都是凡夫心。假如碰到一點不如意，他就會埋怨：「我已經很虔誠了，為什麼不讓我事事如意呢？」對信仰一有疑心、有所企求，他又會再退回凡夫地。有的人發大願，想要代生受一切苦，不為自己求

安樂，但是如果發生一點困難，他就說：「我的挫折感很大，很灰心。」本來發大心、立大願，誓行菩薩道，卻一遇到難關就畏縮，生煩惱心、退回凡夫地。

像這樣的心態，即使用再長的時間，也是無法修行證果。所以，大家除了要立志之外，更必須不反顧、不後悔，以毅力、恆心衝破一切難關。

其實佛陀時代也有這種人，他看透了世間的苦，對世間的種種險惡起了厭離心。他們也懂得去修行，但是在修行之中，時間稍微久一點，沒有什麼成就，也會退轉道心。

煩惱心即凡夫心

大藏經裡面有段故事：在一個深山裡面，有七個人志同道合，發願修行，他們認為人生險惡，人在世間幾十年時間，生命不長，卻在社會上造了很多的業。所以他們想找一個比較清靜的地方，共同論道、精進修持，這是他們共同的理想。但是，經過了十二年的時間，每一個人的心態還是一樣，起伏不定，滿心煩惱。他們雖然離開了人群，也不覺得快樂啊！他們的煩惱在那裡呢？是慾和情未斷。一群人在這清靜的環境相處久了之後，發覺沒有什麼

樂趣，於是回顧在家時有父母兄弟，還有很多男女感情……，而在深山裡的十二年中，什麼都沒有得到，等於是浪費人生。於是這七個人又再聚會互相討論，他們都認為，不如再回社會，娶妻、成家、做事業，所以他們相偕離開了修行十二年的地方。

那時佛陀知道這幾個修行人心不定、意不靜，有還俗的心態，於是就在他們必經之地打坐，這七個人從深山走到出口的地方，看到佛陀很莊嚴地坐在樹下，他們那時還不認識佛陀，但是，看到佛陀就自然地生起恭敬心，七個人不約而同地向佛跪拜頂禮。

他們坐好之後，佛陀就問他們說：「你們從那裡來，往那裡去，你們修行已經多久了？抱什麼樣的心態入深山，又為了何事離開靜處？」七位修行人將他們的經過，一五一十向佛稟白。佛陀說：「修行乃是一條心路歷程，必定要修持到不被動態的情所感染，能夠視富貴如浮雲，視名利如敝履。能夠看開亂象，道就在其中！世間最亂的是人與人之間的是非，和社會人群愚癡爭鬥的情形，修行最主要就是要看開這些心欲，如果看不開這些俗情亂相，又再投入社會，你們的心會更亂。」

佛陀又說：「一切苦就是因『集』而成，集合名利、情愛，有這種種心

慾會集，所以苦不堪言啊！修行雖然是苦，但先苦後甘，修證的快樂是無法用言語表達的；假使追求名利、追求情愛，雖然樂在前頭，最後受苦時卻萬劫難拔啊！因為一切業因已在人群亂相中形成了！」佛陀的這些啟示，我們也可以拿來應用，確實一切苦就是由「集」而來，集合一切的人我是非而來，就是因為有人我是非，所以才有苦。

有時別人說話無心，聽者卻有意，故意抓住對方的把柄及缺點鑽牛角尖，這都是自招惹的煩惱，假使我們對人都用寬心，對一切的事看輕一點、看淡一點，用寬大的心胸互相關懷，無爭無鬥，我們的心念就能很平靜，心若與人無爭則人安，與事無爭則事安，與世無爭則世安，與道無爭則道安，真正的得道就是「無爭」，這就是「道心」。道心分秒都在我們的面前，得道的路也在我們的腳底下，要說遠，實在是不遠；要說近，實在是非常的遙遠，遠近之別在於我們的心念。一念的平靜心那就是道心，一念的煩惱心就成凡夫心了。

修行只在生活中

我們的慈誠隊中有一位黃居士，他是一家公司的老闆，平時雖忙，但自從加入慈濟之後，他體會這個大團體對社會奉獻的意義，因此積極參與慈濟志業。他將時間規畫好，每個星期大約挪出二天的時間當志工，除了勸募善款慰訪照顧戶之外，更投入資源回收、環保工作，他說，以前他為事業忙碌，總覺得一個禮拜的時間都不夠用，但現在雖然抽出二、三天為慈濟做事，他的業務也沒減少啊！反而他的幹部受老闆影響，更加認真工作，對他的事業反而很有幫助。

其實，天底下沒有任何人可以單獨做很多的事，必須結合很多人的力量，群策群力，才能成就大事。一項事業是這樣，更何況是一個大志業！在慈濟很多人和他有著相同的心聲，最初都說自己太忙碌、沒有空，結果後來發心投入慈濟志業，不但時間沒有減少，負擔也沒有增加。如果有人說：「我很

有心要做！只是覺得沒時間，想做也很困難！」我就會告訴他：「不去做才會覺得困難，如果真的去做，一點也不困難，難就難在我們不願踏出第一步。」

另外，還有許多大專的同學回來當志工，投入醫院為阿公阿婆服務，他們無比歡喜，其中一位黃同學的心得報告，相當讓人感動。社會上，一般人都認為大學生知識很高，在家裡嬌生慣養，但是我認為知識高固然不錯，還要能發揮自己的功能效用。有知識不去發揮，這知識又有什麼用呢？學校老師所教的莫非也是要教他們如何合群？如何發揮專長？把那些常識應用在人群中。

許多年輕人都很幸福，他們不知道在黑暗角落有一些苦難的眾生，生活是那麼貧窮，知識是那麼貧乏。所以，大學生利用假日來當志工，可以看到人世間的眾生相，他們看到很多人因為環境不好而失學，知識水準低落……，這些學生眼見耳聞，領會於心，由外在種種情景，而懂得感激父母，知道自己的命好。當他們照顧慈院裡的老人，幫阿公洗澡，幫阿婆搥背、按摩手和腳時，他們也會想到：「家裡的阿公平時與我講話，我很不耐煩，還嫌他囉嗦，今天竟在醫院耐心地逗阿公高興，逗阿公笑，不怕髒，幫他洗澡……」自我反省，想到自己的阿公，也想把這分愛心帶回家去，逗阿公高興，讓阿

公快樂。這是因為他們真正投入這分志工的工作，才能啟發他內心深處的孝思。

還有一位女同學，幫阿婆搥背、按摩手腳的時候，想起自己的阿媽曾關心地問她：「出門有沒有帶雨衣？有沒有拿雨傘？」她還覺得阿媽很嘮叨，一氣之下，乾脆丟下已拿在手裡的雨傘。現在她來到醫院當志工，才知道要多孝順阿媽。我告訴他們：「世間最美的臉孔，就是病人的笑容。」因此同學都非常用心地讓這些病人笑，逗病人歡喜。他們付出許多愛心和耐心，讓病人快樂。

引領歡喜心

有一位阿婆在醫院整天不講話，每天都喊：「我這裡痛！那裡痛！」也不吃飯，她的家屬對她實在無可奈何。於是我們這些學生志工想盡辦法讓阿婆開口說話，移轉她病痛的心理。首先，一位女同學進去溫婉地問：「阿媽！你今天那裡不舒服？那裡痛？」這個阿婆就指著背說：「我這裡疼，這裡酸，這裡不舒服。」這位同學安慰她說：「沒關係，阿媽！我扶您起來，我幫您搥背！」阿婆說：「你怎麼這麼乖！」她說：「您就像我的阿媽，我就是您

的孫女啊！所以我對您孝順呀！」過了一會兒，另一位男同學進來，他說：「喔！阿媽！你的背搥過了，還有那裡酸？那裡痛？」阿婆說：「那麼，手按摩一下也好！」他趕快幫她按摩手臂，又過了一會兒，三位同學進來，他們說：「喔！阿媽背也搥了，手也按摩了，還有那裡痛？那裡酸啊？」阿婆高興地說：「按摩、按摩這兩隻腳也好！」三個同學就一起為她服務。幫她搥背的女同學就說：「阿媽！您今天忽然間變成太后啊！」阿媽腳邊的那三個同學趕快做一個跪下的姿勢，手貼在胸前就說：「太后！請您吩咐！」阿婆樂得哈哈大笑，就這樣引起她的歡喜心了，這股生命朝氣，由年輕人帶引，讓一位憂愁滿面、整天不肯講話、只是喊痛的老人——解開心結，放聲大笑。這就是學生志工服務之後，那分歡喜、快樂的心得。

這些年輕人，利用寒、暑假投入慈濟的行列，不去遊覽、露營，而把時間拿來做對社會有益的工作，這才是真正令人健康快樂的活動啊！「天下無難事，只怕有心人。」學佛的人也要有這樣的心態，修行沒有困難，在日常生活中，人與人互相尊重、互相關懷、彼此和樂，這就是修行。

精誠所至，金石為開

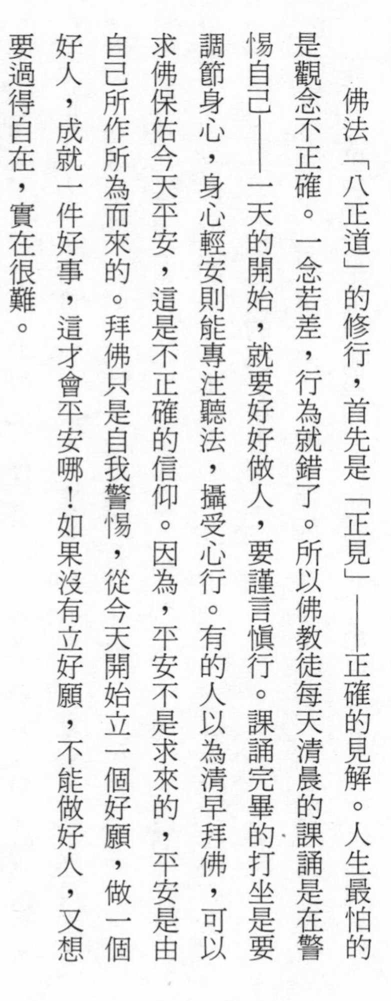

佛法「八正道」的修行，首先是「正見」——正確的見解。人生最怕的是觀念不正確。一念若差，行為就錯了。所以佛教徒每天清晨的課誦是在警惕自己——一天的開始，就要好好做人，要謹言慎行。課誦完畢的打坐是要調節身心，身心輕安則能專注聽法，攝受心行。有的人以為清早拜佛，可以求佛保佑今天平安，這是不正確的信仰。因為，平安不是求來的，平安是由自己所作所為而來的。拜佛只是自我警惕，從今天開始立一個好願，做一個好人，成就一件好事，這才會平安哪！如果沒有立好願，不能做好人，又想要過得自在，實在很難。

現在大家的生活水準提高，物質豐富，內心比較空虛，就想要找點刺激，而現在外面的污染源很多，各行各業有很多都是不擇手段，招徠顧客，只要能夠賺錢就是最好的，有一些年輕人不斷受引誘而迷陷下去，已經到了不能

自拔的程度。

現在我們政府一直宣導：吸食安非他命者，要給他一個機會自首改過。其實這是「心理的犯罪」。因為，吸食安非他命會養成習慣，不吸會很痛苦，吸了會迷失了自己，不知道自己在做什麼，也導致社會犯罪的事件越來越多。安非他命使人迷失心性，可以說是殘害了人的心理。而社會案件不斷發生，源頭也是因這種種陷阱的引誘。最近聽到新聞報告說，短短的幾天內，想要去自首或已經去自首的，也有一千多人了，年齡從小學、國中、到高中都有，看到那些年齡幼小的孩子，真令人心疼。而這些孩子在這段時間迷失心性，我相信那些家長比他們的孩子痛苦啊！

明知道有人為了這種東西而顛倒迷失，卻還是不斷有人製造販賣，現在的社會最可怕的就是這種無形殺手。除了安非他命以外，菸酒也是一種無形的殺手，常聽醫院的志工報告說：來急診的車禍傷患大部分是因為喝酒，有的人已經傷得很嚴重，還不知道自己已受傷，別人為他急救，他還在醉茫茫地無理取鬧，等到酒醒的時候，已經是四肢不全啦！那些人如果不喝酒，也不會闖禍啊！當然也有很多人是沒有戴安全帽、不守交通規則，所以才會造成嚴重的車禍。

至於抽菸，根據醫學的研究，確實也是無形的殺手，菸吸進人的臟腑，能致癌的成分有十五種化學物質，這實在很可怕。菸從體內再呼出去，造成二手菸的污染，受害的人也很多。大家都知道抽菸有害自己的健康，也有害別人的健康，但是自己控制不住啊！因為他的心沒有定力。至於酒也是──「酒不醉人而人自醉」，自己沒有定力，就被引誘了，這也是一個陷阱啊！希望提倡人人都有宗教信仰，能夠自我規戒，知道如何預防，不會走向陷阱，所以慈濟一直積極投入社會、深入民間，使人人能夠從善門入佛門。

現身說法，淨化人心

今年（民國八十一年）是慈濟的國際年，希望慈濟的精神能推展至國際，啟發人人的良知本性。在臺灣則是舉辦「慈濟精神下鄉」，到每一個鄉村、每一個地方，將慈濟的精神散播出去，這是我們的計畫。

第一梯次活動，是慈濟委員到金門前線弘法，去年我們也曾舉辦過一次，聽說也收到很大的效果。有個委員還沒入慈濟之前，在社會是很壞的人，入慈濟之後轉變人生觀，他把過去的迷失與現在的醒悟，向那些阿兵哥現身說法，說過去他是怎麼當流氓，那段時間的生活是多煩惱……。現在走入慈濟

之後，是多麼快樂，多麼自在！像這樣的現身說法，就是在淨化人心，現在的社會真的很需要慈濟這股清流，從內心的淨化，一直到行為的教育，去改善人生。

每天清晨，我們要以最虔誠的心禮佛，誦經的時候，每一句經文都是在警惕自己，注意做人的規則，誦經完畢，坐下來之後，要將身心統攝在一起，集中精神，用心受持佛法，觀照自己，並應用於日常生活中。如果我們能夠每天應用，天天累積，就可以將自己的感受和累積的經驗，以最虔誠的心說給別人聽。有句話說：「精誠所至，金石為開」，將自己改過向善的經驗輾轉相傳，將清淨的心泉流到對方的心裡去，這樣就能淨化人心。

每一個人都要為這社會負起一分責任。對幼弱的心給予扶持；對迷失的心，設法喚醒。已經犯錯的，給他機會，讓他改過；還沒犯的給予保護，讓他們身心健康，家家幸福，如此社會就光明在望！總之，一切都是要從我們每一個人做起，希望我們不要輕視個人的一點力量，大家負起責任，只要多用心，天底下沒有做不成的事情！

第六講　前世因，今生果

今生來世，種因得果

佛學千經萬論，莫非就是談論心、行、業、果。人的一切動作無不由心起，心可以帶來社會的和樂；也可以造成社會的戾氣。人與人之間有和睦的愛念，社會才有祥和的氣氛。若是一念偏差，就容易招來暴力。有粗暴的行動，則人與人之間，會產生不安猜忌，彼此有戒心，而社會便充滿了險象。

佛陀教育眾生，說法四十九年，無非要深入人心，教導人們應該要如何生活？要如何動作？

人在有生之年，一切的生活、動作、事業……等，所有的造作，都會變成一種結果，這個結果有時很快就展現出來；有時會延後到來生，這就是隔世之果，隔世之果和隔世之因往往使人無法理解。因為不能夠理解，自然就覺得疑惑。

比如有人說：「我平時為人也不錯，為什麼一切不幸的事情，都發生在

我的身上？而那個人平時對人很刻薄，所做的都是危害社會人心的壞事，為什麼他還如此風光呢？」這就是隔世之因，隔世之果。今生為惡的人，不一定馬上受到惡報，是因為他過去所做的福業帶到今生，餘福還未享盡，而他種下的這個惡因，果報尚未成熟。

有的人是此生本來就帶了一些「業」來，雖然已覺悟要走正途；不過，由於「餘業」未盡，才剛開始開拓正道，路還未暢通，所以不免坎坷難行。

總之，一切都是時間累積，好的因不要認為微小而不做，壞的因也不要以為只有一點點沒有關係。其實因果關係真的很可怕，即使是微小的造作，也終必結果。

佛在世時，有一段時間曾在舍衛國講經，頻婆娑羅王非常敬重佛法，也非常尊重佛陀。他有一位朋友加沙王，不信佛法，也不信三世因果。他認為今生快樂就是最好的，所謂「今朝有酒今朝醉」，那還想到來生？

有一次，加沙王想送一個價值連城的珊瑚給頻婆沙羅王。他認為這是他最心愛的寶物，足以表達對頻婆娑羅王的友誼。

頻婆娑羅王看到這件價值昂貴的禮物，他自忖：「我接受這樣貴重的禮物應該如何回報？我的朋友沈溺在享樂中，要如何才能夠度化他，讓他免於

將來的苦果呢？」後來他將寶物送到佛的面前供佛，向佛說：「加沙王非常富裕幸福，跟我有深厚的友誼，若不引度他，看他一直沈溺於欲海中，真是可悲啊！」他問佛陀：「我要如何來回報他呢？」

佛陀告訴他：「你若要度化他，就將我所說的法送給他。」頻婆娑羅王認為這是最好的禮物，所以他回去後，就把自己聽過的佛法抄下來送給加沙王。

加沙王接到頻婆娑羅王的禮物，心想：我的好朋友，回送我的禮物一定很珍貴，於是仔細閱讀經文，體會其中的道理。他用心推敲，終於徹悟，人生一切的榮華富貴和名利地位，都像是過眼雲煙，虛幻不實，而因緣果報絲毫不爽；佛陀的教法句句智慧，我應該追隨佛陀修行。就這樣，他捨棄王位出家了，一個人到舍衛國去聽經聞法。

前世怨，今生業

他以苦行僧的形態，離開自己的國土前往舍衛國，當他來到舍衛國的邊境，已近黃昏，於是借住在一戶燒窯的人家。

佛陀知道加沙王已有求道的心，而他的業報即將現前，不可能到達「給

孤獨園」。於是佛陀就慈悲前往沙加王借宿的地方，向他開示佛法。

經過一夜的開示，天亮後，佛陀就離開了。國王還不知道這位莊嚴的比丘就是佛陀，只覺得這些教法真是至高無上的真理，他覺得身心輕安，又再向前走。沒想到，離開這燒窯的房子沒有多遠，忽然間一頭牛衝出來，將這位已出家的國王撞死。

這頭牛的主人，眼看自己的牛惹出禍來了，非常害怕，就把這頭牛低價賣出。有個農夫覺得這頭牛很便宜，就把牠買回去。有一天，這頭牛在犁田時，忽然發狂，又將新的主人撞死了。

農夫的兒子非常生氣，也非常憤恨，就立即將牛殺了，並運到市集去賣。有一位從鄉村來趕集的商人，覺得很便宜，就買了牛頭，想讓家裡的人加菜。

他將牛頭背在身後，走到了半路感覺疲累，就將牛頭掛在路旁一棵大樹的樹枝上，自己則趟在樹下睡覺。正熟睡時，忽然間掛著牛頭的樹枝斷了，結果牛角對著他的胸口刺進去，將這個人刺死了。

這件事情在舍衛國輾轉相傳，傳到了頻婆娑羅王的耳邊。國王覺得奇怪，一頭牛先是撞死一位國王比丘；再來又撞死一位農夫；而且掛在樹上的牛頭掉下來，還刺死了人，這到底是什麼因緣呢？

國王到佛陀的面前請示，佛陀跟他說了這段因緣：以前有三個人結伴去做生意，但是路費用盡，沒有辦法回去。於是租了一間房子暫住，屋主是一位老阿婆，她靠房租來維持生活。

這三個人住了一段日子，還是沒有辦法做好生意，非常落魄，沒有錢繳納房租。阿婆向他們要房租，他們就騙她說：「我們今天要出去做生意，做完生意回來，就會將房租給你。」

結果，三個人一去不回頭，那位阿婆非常生氣。一天，恰巧在路上碰到那三個人，就跟他們催討房租，但是三個人異口同聲說已經給了房租，不理會她，就走開了。

這位阿婆氣得咬牙切齒，含恨發誓說：「我這輩子得不到你們的錢，來世一定要你們的命。」後來，阿婆氣忿過度，含怨往生了。

佛陀說：「你知道嗎？那位阿婆後來轉世為牛，那三個因牛而死的人，就是過去那三個無賴漢。這因果起源於怨恨心，業報連結在一起，逃也逃不過；逃過了這世，也逃不過後世的冤業。」

佛陀教育弟子：「心好像是一畦田，自己撒什麼種子，就得什麼樣的果。」有什麼樣的心態，就有什麼樣的行動；起心造業，將來一定會受果報，一點

點都跑不掉。所以，我們一定要有耐心，應該受的，就要歡喜受；應該做的事，即使做起來困難重重，也必須去做。

動一念善，就是福；若是有一念怨、恨、貪、瞋、癡，這粒粒種子，都是將來的障礙業報。所以貪、瞋、痴、慢、疑、怨、恨……，都不可存在心上；這每一粒惡的種子，都會令人起煩惱心。

與人相處應多結一些好緣，多起一些歡喜心、感恩心、滿足的心，這些都是將來造福的因緣。

反璞歸真，知福惜福

佛陀不斷警惕我們，人生無常，世事多變。我們於天地間，卻常常疏忽了周圍的生活，疏忽了生活中的因與果。

常聽到一句話──「惜福」，惜福的意思就是：日常生活中要勤儉，不要浪費、不要只知享受，要善用雙手開源節流，實際發揮效用。然而，現代人

隨著生活水準提高之後，很多人都捨不得親自動手做事，不讓雙手發揮效用。原本是萬能、可貴的兩隻手，變成沒有什麼用處；日常的生活，若只是靠文明科技發展出來的產品，來減輕身體的勞動，這實在蘊含危機啊！

前些日子，有幾位醫學界的人士來慈院參觀，坐下來聊天時，談起人的身體構造，有人說：「某某人，本來是一位頭腦非常好的人，很可惜，不知道為什麼性情忽然變了；變得喜怒無常，嚴重時，甚至認不得人，也忘了前一分鐘的事。」

他過世以後，醫學界的人，對他非常好奇，因此說服他的眷屬，對他做腦部解剖。解剖後才發現整個腦部的前半部，像海棉一樣千瘡百孔。

這時他們的話題進入腦的結構，他們說，一個人的人格和行為舉動，都是控制於腦部。我仔細地聽他們分析，令我印象最深的就是：在日常生活中，若是用鋁製品烹煮食物，會產生一種化學成分，對腦的傷害很大。記得有一段時間，電子鍋剛出來，有很多人為了節省時間，煮一次飯就吃七天，當時大家很流行這樣做，結果，老人痴呆症的個案忽然增加了。醫學界人士做了研究，才發現到電子鍋的內層有鋁的成分。

我從這件事中體會到，大家欠缺了惜福的觀念。一切工作都丟給現代時

髦的科學產品，所以才惹出來很多的病痛。

自然的生活，自然的福氣

現代的人都喜歡用化學合成的東西，就像我們洗衣服或是清洗其它的東西，動不動就用洗衣粉，洗衣粉裡面含有很重的螢光劑，不只對身體有影響，污水流入地下，也會造成環境污染。

現在，有很多清潔劑，像洗菜、洗碗用的洗潔精，很多人都不知道裡面的螢光劑成分，若用來洗菜，絕對無法洗淨殘留的化學成分，洗碗也是一樣。這就是我們日常生活的危機，人們卻不知道，以為節省人力就好，以為若不用現代化的產品，就顯得很落伍。

不知道物品暗藏危機，還一直使用，才惹來許多莫名其妙的病症，這就是佛陀說的「愚癡」。人們愚昧無知，造成許多不良的嚴重後果，也不知道它的原因在那裡？佛陀就是要我們憑藉智慧去「尋因」、「解果」。在日常生活中，應該要多靠自己，運用父母生給我們的雙手，自然地生活，自然地勞動，這樣才是健康之道。千萬不要貪求一時的輕鬆，惹來終身的遺憾。

現在常聽到「老人痴呆症」，我們若要預防這種病狀，在日常生活中，就

要注意使用的物品。不要將鋁製鍋具拿來加熱，也不要把食物長時間存放在鋁製容器內。清潔時最好用肥皂，比較不會有污染問題，其實這也是一種環保觀念，是人人應當要有的。

我常說：「多用心」，在日常生活中要多惜福。能惜福的人，自然就不會趕時髦，並且能反璞歸真。

生滅變異，莫不由心

天未明時，我走到屋外，抬頭看看天空，只見月兒彎彎，群星為伴，讓人感覺到那分寂靜之美。不像前幾天，天空一片烏雲，又下著毛毛細雨，無形中也覺得有一點鬱悶。難怪前些日子電視或新聞醫療版一直報導，除了感冒的病例增加之外，還有很多憂鬱症的患者。經過醫生、學者的研究，這是天氣影響了人的心理，如果每天都是陰天、下雨，很容易導致憂鬱症。

這幾天清晨，天空都是一片清朗，不同的只是明月，漸漸由圓轉缺，讓

我們體會到「靜中有變」。人也是一樣，若能夠在見面時，大家都是歡喜而笑，是這般和祥，就好像天空清朗，明月照耀，讓人覺得眼前一亮，神清氣爽。

如果一個人不知為了什麼事情，忽然間繃著臉，一點笑容都沒有；或者是怒氣沖沖，會讓原本懷著歡喜心的人，一見面就將這股喜氣沖淡了，只留下內心的陰影。同樣的人，不一樣的表情，就給人不一樣的感受。露出歡喜笑容，或擺出生氣的臉，是同一人，卻是不同的面相，這也是於靜中而變動。人有這樣的變異，天也有這種變異。

不只是人與天有變化，大地萬物那一個時刻不在變異？外相不斷有變，其實心也是一樣起心動念。起了一分歡喜心，就滅掉了一分怨恨心；若是歡喜就沒有怨；若是有怨就沒有歡喜，這種生滅對照，也是從心而起。

有些人充滿了愛心，不論他在什麼樣的環境中，都是以愛來為對方著想。有一位老阿婆，年紀將近七十多歲，在一個濛濛細雨的天氣，坐公共汽車外出，車上擠了很多人。到了某個站，她冒著細雨下車。

車子開走了，這位阿婆站在細雨中，繼續等車；奇怪的是，車子很久都沒來。她喃喃自語：「車子怎麼這麼久還不來？」旁邊一位年輕人問她：「阿婆您要去那裡？要坐幾號車呢？」

阿婆回答要去的地方及要坐的公車。這位年輕人聽了，覺得很奇怪，他說：「您等的就是您剛才下來的那部車。」她說：「我知道啊！我剛才是故意下車的。」年輕人問她為什麼？阿婆說她看到一位兩手拄著拐杖、腳敷著石膏的年輕人，因為車內很擠，搖搖晃晃，那位年輕人站不穩，大家卻不肯起來讓坐，阿婆想讓他坐，但知道他一定不好意思坐。於是故意做下車的姿態，跟年輕人說：「我要下車了，你站過來些。」

「那位年輕人知道我要下車，就走近我的座位；車站到了，我就起來讓他坐下，然後安心地下車。假使我又站在車上，他一定不好意思坐下。」阿婆說。

智慧、溫馨的愛

想想這老人多溫馨感人，看到腳有殘缺打上石膏的年輕人，她內心起了一分愛憐，這樣的愛，是多麼有智慧、多麼透徹、考慮得多麼周詳，這就是用一念愛心，去排除那分貪念。

前一陣子，我在慈濟紀念堂對大家講話之後，剛要出來，看到一位年輕人用輪椅推著一位老人，這位老人已經中風多次了，他的意識也已經陷入痴

呆的狀態，但是他兒子對他照顧得無微不至。

這個孩子才二十出頭，他知道我那天要去紀念堂，所以即使是下著濛濛細雨，也推著他的父親來紀念堂，當我要離開時，他就在我經過的路口等候。

我跟他說：「外面下著細雨，淋久也是會濕的，天氣這麼冷，你趕快推他進去。」他說：「師父，我要讓我爸爸也有機會聽到師父說話。」我問：「他聽得到嗎？」他說：「雖然他不很明白，但我必須有這分心，讓他有機會啊！」

隔天，我到病房探望這老人時，老人不在病床上，同間病房的患者家屬都說：「那個孩子送父親去做復健，他實在很乖，現在很少有這樣孝順的孩子，真是難得。」

我離開病房，在走廊上遇到了這個孩子，正要送他的父親回病房，他趕快過來對我說：「師父，我要請教您。」我說：「怎麼了？你若有困難要說出來，家裡需要幫忙，我們會幫忙你。你很乖，很會照顧你父親，我們看了非常高興、很溫馨。」

多一分愚癡，少一分智慧

他說：「家裡的經濟比較沒困難，我現在是要請教師父，如何才能為我父親消業？」我說：「你就盡心地照顧他。」他說：「有人叫我截斷一支手指，用這種方式來消我爸爸的業，這是真的？還是假的？」我說：「孩子啊！你不要傻了，你的身體生於父母，父母費心地養育你，也是為了顧全你的身體，不受一點點的傷害。小時候他們如此照顧你，你現在卻自我損傷，要不得呀！」

我舉例對他說：「曾子是個孝子，他臨終的時候，什麼都不牽掛，只問他弟子說：『看看我的手、看看我的腳，將我全身檢查看看，有沒有受到傷害？』等到弟子們幫他看了全身之後說：『身體非常的完整。』曾子才說：『我已經安心了，父母給與我的身體，我將它照顧得非常完好，這樣我就放心了。』才嚥了最後的一口氣。」

我說：「你看！曾子臨終都還要將父母給與的身體，照顧得沒有受到一點傷害，何況你還這麼年輕健康。你父親在過去生中帶了這樣的業，因為你跟他有這樣的共業，所以你要歡喜地去受業，歡喜地去照顧他。你要虔誠念

佛，讓父親內心也能種下學佛的種子，這樣就是孝順。不要亂來，不要傷害自己。」

其實，我們在學佛的時候，如果有錯誤的引導，就會有錯誤的行為。人的心念，常常受外界影響，若是多了一分愚癡，智慧就會減少了；若多了一分瞋恨心，愛心也會減少了。

這樣的生滅變異，莫不是由心所生。所以佛陀教我們，在還未起心動念之前，要訓練定靜的功夫，若能夠時時以平常心，靜觀天下的境界、靜觀周圍的一切外相，我們的心就不會因外界的變異，而起生滅增減的念頭，這就是修行的關鍵。

雖然美醜、好壞都會讓我們起心動念，但是不管是歡喜或生氣，這都是靜定功夫不夠。所以我們一定要常常訓練自己，周圍的環境不管是好、是壞，心念不要隨之而浮動，要隨時培養心中的那分大愛。

佛法說：「人生多苦。」我們每天聽慈院的志工報告所見所聞的病歷個案，更應該要深深的體會並自我警惕；大家都知道人一旦生病住院，實在是一點人性的尊嚴都沒有。

有的人年紀輕輕卻得了不治之症，家屬及醫護人員明知病人已經醫藥罔效；還是盡量要減輕他的痛苦。因此為他打針，而打針又何嘗不是痛苦的事。

另一個例子，是一位老伯，在我們醫院已經很多天了，聽說是個陌生人送他來的。他的名牌上一直寫著「無名氏」，由於說不清楚自己的姓名來歷，所以不知道他叫什麼名字。

一直到這梯次的委員志工，其中有一位，運用她的常識、智慧及說話的技巧，終於問出他住花蓮北埔，可能姓馮，名字不清楚，而且沒有親戚。後來又聽他說有兄弟。我們的志工很有耐心，讓他再慢慢想，聽他的回答。

談話時，他們發現有一股難聞的氣味，原來是從這位老伯的身上散發出來的。志工們就趕快找慈誠隊男眾志工，為他洗澡、換衣服、換床鋪。

病房裡面其他患者的家屬看了，就偷偷地把我們委員叫到旁邊說：「我實在忍不住要說，你們的愛心都被人利用了。你們知道嗎？這位老伯若見你們來了，就故意在床上大小便，什麼事都說不知道，故意裝得樣樣都不會，但晚上他都自己去上廁所。」

我們的委員聽了這些話，那天下午再次進病房，對他說了一些較重的話。跟他說：「你若自己能夠起來，就要自己起來處理，你將周圍的環境弄得這麼髒亂，又不好好的和醫生、護士配合，這樣可能沒有辦法讓你繼續住下去。」

這時他才很清晰地說出：「好啦！好啦！」可見大家讓他騙了十多天，當然這位老人也是很可憐、很無奈。可能他是沒有伴，也真的生病了，在孤老病苦環境中，他唯一想得出來的，就是倚賴別人。所以他故意裝神智不清、大小便不能自己處理，一切生活起居都要倚賴他人。他故意裝著什麼都不會，也聽不懂別人的話，像這樣也是一種病態。原本他的業就很重了，在重業中又再愚痴地造業，如此缺少智慧的人，實在很可憐！

我們必須輔導他，即使是貧、是窮、是病，也應該將智慧啟發出來，培

養毅力、勇氣面對現實。這個個案，在過去的一段時間，是針對他的身體醫療；現在開始則輔導他的精神與心理。

業中再起煩惱業

當然也有很可愛又活潑的人生，在業報中能夠啟發智慧的。比如有一位病患的媽媽，跟著我們的志工回來精舍，她說了一段心聲。她說她的女兒才八歲，不知道什麼原因，忽然一直高燒不退，某大醫院為她診斷、抽血，斷定她是腹膜炎，就趕快為她開刀，結果盲腸沒有問題，也沒有腹膜炎。醫生將她的傷口縫好，卻查不出這個孩子到底毛病出在那裡？每天都發燒到三十九度、四十度。

後來她希望父母帶她來慈濟，她的父母就陪這位還未拆線的孩子，轉來慈濟住院。這位媽媽說：「那天，我們立即送她去檢查、照X光。說起來也很不可思議，這孩子來到花蓮的第二天，體溫就降下來了。」她跟媽媽說：「慈濟的醫生、護士都很好！這裡的人好好喔！」聽說這兩、三天，在醫院裡跑來跑去，會跟護士阿姨玩，是一個很活潑的孩子。即使在病中，她仍然能夠體會愛的氣氛。有了愛的氣氛，病魔就完全離開了，同時也恢復了健康

與活潑。

一個是老人，一個是孩子，卻是不一樣的遭遇。孩子生病時，父母、大哥一起來花蓮，輪流照顧，讓她得到家庭的溫暖；而老人是被陌生人送來的，卻孤單痛苦。老幼同樣是人生，冷暖何其懸殊！

由此可知，在日常生活中的行為會累積善惡業報，大家必須時時檢點自己，付出愛心，方能與人結好緣、消惡業！

第七講　百年樹人，百年志業

萬物平等，同心感恩

前幾天，我到了西部，我覺得那是個充滿愛的世界，充滿了彼此感恩的人們。儘管這些天，不是陰天就是下雨，但人與人之間彼此相處，卻是一片祥和、明朗與溫暖。

像我到高雄參加一場演講，中國煉鋼廠的禮堂能夠容納一千多人，但是佈置場地的中鋼同仁很用心，他們知道會有很多護持慈濟的人來，於是在外邊搭設大銀幕，排了五千多張的椅子。即使我在裡面講話，坐在外面的四、五千人也可以同時看得到、聽得到。

還好那天沒有下雨，天氣涼爽，雖然微冷，但每個人的心卻是溫熱的。讓我更感恩的是，台北的委員、會員不惜路遠，專程將大銀幕和攝影機載到南部。

三月十二日，我從台北趕回花蓮，參加植樹節，今年（八十一年）的植

樹節慶典，由花蓮縣政府舉辦，計畫將樹苗種在慈濟護專，及其他機關學校。我匆忙地趕到護專，儀式隨即展開。

縣長說：「花蓮要以菩提樹為『縣樹』，以蓮花為『縣花』。因為慈濟在花蓮，而菩提樹跟佛教有密切的關係，蓮花則出污泥而不染，深具佛教的精神。」他對慈濟的肯定與讚揚，也讓我非常感動。

二千多株小樹苗，有的分給愛樹的民眾拿回家種，這些小樹苗要經過多少年才能長成大樹？種樹就像培育人材一樣啊！

尊重生命，老樹搬家

在新竹我們也移植了一棵大樹，因為當地人士要闢建停車場，所以要將預定地上的一棵二百年老樹移開。

老樹蔭下，原本有許多阿公、阿婆在乘涼、運動，是個很好的休閒場所。所以，這棵樹是要移走還是砍掉？引起了地方人士的熱烈關心，討論結果是要將這棵樹移植。但是，移植老樹需要保險費五十萬元，移植費八十萬元，還要保證這棵樹移開後一定會活下來。這件工作誰來做呢？後來金車文教基金會認為，如果沒有移開這棵二百年的老樹，讓它白白地被砍掉，實在很可

惜。如果把它移植，卻因為水土不合而使得老樹活不下來，更是浪費很多人力與金錢。

所以金車文教基金會自願出資來移植大樹，他們邀請慈濟參與，希望藉著人多福旺，讓這棵二百年的大樹能夠欣欣向榮。那天慈濟的委員及金車文教基金會兩個單位，浩浩蕩蕩地到達新竹；當地也有幾個單位來配合，包括交通大隊、電力公司，及電話通信……等單位。

開始挖土移樹時，我們的委員帶動地方人士，同聲唱頌「祝福您！無量壽！」大家聲音和諧，唱頌祝福這棵樹無量壽，場面非常壯觀、溫馨感人，大家都很虔誠地祝福它。這棵樹挖起來之後，用兩輛六十噸的大卡車合力吊上車。

不僅如此，還實施了五個小時的交通管制，凡是這棵樹經過的地方，有電線和電話線阻礙通行的，都暫時剪斷。從原地到新的移植地點，才兩公里的路程，就足足走了五個多小時。

為了讓一棵老樹繼續存活，就需要眾人付出無限愛心，所以，我內心深深感受到，種樹就像在培育年輕的學生；而愛護大樹，就像敬愛老人般。因此，我們平時一定要懷著同樣的愛心，對年輕人要愛護栽培；對待老人更要

以尊重、敬愛之心，來保護老人。

對人如此，對樹如此，對一切的生物也是如此，都要有同樣的——愛護及感恩之心。

排除貪、瞋、癡、慢、疑

外面春光明媚、鳥語花香，遠處傳來朝山的念佛聲，這種境界一片祥和。這群虔誠的佛教徒，是跨越海空、來自新加坡的慈濟人，懷著尋根的心情，來台灣了解慈濟的精神。他們朝山念佛的聲音，和大殿念佛的聲音融合為一。佛號是普天下人所共誦與共愛的，和諧的念佛聲，形成一片祥和、清淨的世界。

他們抱著相同的「佛心」，回來尋根，莫非是想知道，要發什麼願？立什麼志？用什麼動力去推展四大志業？這裡所說的「動力」也就是身體力行。要身體力行，必須先心理建設；心理要建設好，必定要先排除貪、瞋、痴、

慢、疑，如此才能立志——身體力行於正道中。

貪、瞋、癡、慢、疑是人心裡最惡劣的「心魔」。心魔一起，即使立志已堅、決心已久，也會讓人前功盡棄。若貪欲一起，就有許多私情愛欲，人生有了私欲及貪愛，就會喪失大愛，斷了慈悲的心念。

慈濟志工努力推動四大志業，到處奔波，為的是要濟貧教富，淨化人心；回到慈濟醫院，走入每一個病房為病人服務、帶給病人歡樂，就是大愛、慈悲、無私、無貪的心念。若能夠去除貪念，那麼我們的大愛，必會普施於天下。

除了心中有大愛，還必須謹慎「瞋」字，瞋是發怒生氣。有人說：「有愛即溫和，有愛即和祥，有愛就有寬諒。」既然有寬諒、和祥，又怎會發脾氣呢？因為人還是凡夫，遇到逆境時，會生起一念瞋心，瞋心一起，我們的心態、聲色、動作，就會展露出瞋怒的形態，而和祥的氣氛和寬諒的溫柔，即刻遁形無蹤。

所以，學佛就是要將這分清淨大愛展現出來，對於瞋恨心要謹慎預防，一念瞋心起，就會破壞自己的形象。

大愛還必須無癡，因為慈悲必須以智慧來推動。慈悲若欠缺智慧，就容

易偏差。具有智慧才能夠分辨清楚，什麼事應該專心致力去做，什麼事要預防不去犯錯。

智慧是純柔的力量。恆順眾生、布施救濟，都是出自清淨大愛；但是若不會以智慧分辨選擇，就會變成濫愛。濫愛的心念產生，則愚癡、煩惱、無明隨之而至。所以慈悲、智慧必定要配合無間、絲毫不離；更要時時刻刻記得，智是「分別智」，慧即是「平等慧」。

用智慧寬諒眾生

人與人之間，慧性平等。身外境界的好壞是由「分別智」來判斷，若能融會「心、佛、眾生三無差別」的觀念，則是平等慧，智與慧結合起來才是真正的大慈悲。慈悲之行，須以智慧來推動，才能精確無偏。

除了慈悲、大愛，更需要有信心，不可以有疑惑。人若有疑慮，則心志不堅，會時常猶豫：「做利益眾生的事，是不是在人群中攀緣？是否只修福沒有修慧？是不是能夠解脫六道輪迴呢？」既然本著大愛投入人群，若還有這些疑慮，心就無法堅定；而且在人群之中難免煩雜，就會想找一處清淨的地方，久而久之即慢慢脫離人群。一旦脫離人群，想要發揮這分大愛，就沒

有機會了。菩薩必須在人群之中行六度萬行，若不在人群之中，如何引導眾生發菩提心？又如何救拔眾生苦難，給與眾生快樂？

菩薩安住於發心道處。我們學佛，就要一心一志，不要起疑惑，一有疑惑煩惱，絕對無法精進；對人起疑心，對道起疑心，做人就不會成功。總而言之，我們必定要有信心，才能夠精進於菩薩道上，才能夠完成正確的大愛。

我們既然有了這分愛，就不能夠有「我慢」。慢心會使眾生遠離我們，而我們也無法投入人群，傲慢是大愛之敵；若有傲慢的形態，就無法親近眾生，發揮度化眾生的功能。

所以，發願行菩薩道，要謹防五種心魔——貪、瞋、癡、慢、疑，這是立志、立願、立行的大敵。心魔起時，眾道減損，所謂「魔起道不存、道起魔消滅」；若想成道，就要先滅除這五種心魔，使它無法與道並存。學佛不離生活，生活不離學佛，在日常生活中，要力行菩薩道，不可滅失了道心，不要生起這五種心魔。

種樹、教育，異曲同工

上個月都是陰雨的天氣，精神症狀的患者，忽然增加了很多，聽說是受天氣的影響所致。雨水對土地及生物都有很大的幫助，但過量也會造成大害。一切都應配合時機、季節，該下雨時，有雨水；該晴天時，有陽光，即所謂的「風調雨順」。

前面說過，三月十二日植樹節，花蓮縣政府到慈濟護專植樹，很多地方的首長都來參與盛會。主辦單位準備了二千株樹苗，讓愛樹的縣民帶回去種。另外還移植多株已經有五年樹齡的菩提樹到護專。

當天台北還下著毛毛雨，我從台北搭車趕回花蓮，到達護專時，卻是陽光普照，大家都在大太陽下進行活動，我當時有點擔心，這些樹苗是否會被曬枯萎。

所以昨天我到護專，第一件事就是趕緊看看那些剛種下去的樹苗，看看

樹葉是否還青翠？結果有些樹葉萎黃了。當時心想：若能再下幾天小雨，對這些樹苗該有多好啊！果然昨晚下了雨，我真替那些樹苗慶幸歡喜，這場雨幫助那些樹苗復生。

前面我也提過，新竹地區也移植了一棵二百年的大樹，當天活動在雨中進行。為了移植這棵樹，大家舉行非常隆重的儀式，除了政府官員外，還有金車文教基金會及地方人士，台北區的慈濟委員，則每一組推派代表到新竹和當地委員會合，總共有數十位慈濟人，穿著整齊的旗袍參加儀式，他們圍繞著這棵樹，在雨中虔誠地為它唱頌：「祝福您，無量壽！」。而當地民眾，每天都在樹下乘涼，對這棵樹有著深厚的感情，也紛紛前來圍觀，看大樹「搬家」。

這棵樹歷經二百年的風霜歲月，和當地人已經有了很深的感情，他們從小孩時期，在這棵樹下盪鞦韆，再從小學、中學、大學，直到成家立業，然後老年……。一代一代傳續，這棵樹庇蔭了許多人，它已承載著時間累積的深厚情誼。地方固然要開發建設，而這古樹國寶也是不可損害；所以選擇將它移植。聽說當時用起重機及怪手，吊起這棵大樹，足足花費了兩個多小時。而且在這之前，他們已花費一個多月的時間將大樹截根。

載著它上路後，所有的交通都受到管制；所經之路，若有電線阻礙就剪斷電線；有電話線阻擋，就剪電話線，所有相關單位都來配合，除去障礙物，可見大家多麼重視啊。為什麼要如此勞師動眾？為什麼不好好保留在原地呢？當我回來花蓮，種下小樹苗時，深深覺得：小樹需要種，大樹更應該要保留。

在大環境中，自然生長

種樹可以綠化環境、提升空氣品質，做好水土保持，土壤就不會因雨水沖刷而流失。根據專家學者的研究資料顯示，一棵樹能夠供應二百人所需的氧氣；若有這些常識，必然會很喜歡種樹，不只在每年植樹節，才象徵性地種幾棵樹。

種樹好像在培育人才，一棵高大茂盛的樹木，至少需要二十年以上的時間栽培。一個人的學業成就也是這樣：從小學、國中、高中、大學，再加兩年碩士班，甚至再修博士學位，也需要二十多年的時間，才能夠完成這些教育，發揮學術功能。

培育人才需要長久的時間，種樹也需要這麼長的時間。希望人人成為種

樹的「園丁」：對人，我們要加以培育；對樹，我們要愛護。培養好人，能夠使社會祥和；種植好樹，則會改善生活環境。

回想當天在新竹移植大樹時是陰雨天，很多人說：「啊！下雨天移植樹木，存活率會更大。」雖然大家很辛苦地遷移，全身都淋濕了；但是這棵樹存活的希望很高，也就值得了。

而在花蓮植樹那一天，雖然是晴空萬里，但若不用心、以適當的水分去灌溉、照顧，就很難讓每一棵樹都順利長大！氣候的變化也和我們人生的前途一樣，坎坷的際遇，有時可以成就一個人；而順利的環境，不一定會造就人才。

總之，不管是面對坎坷或順境，我們都要常常自我警惕。好比地上大大小小的樹，不管是晴天或雨天都必須承受，並且在日曬雨淋中努力掙扎、成長，這些環境對它們都有益處。

人也是如此，應該在大環境中自然生長，才能夠成為真正堅強的人生。

清淨心地，即是道場

天地宇宙間，萬物共處，天空寬闊，小鳥可以自由飛行，飛機也一樣能自在飛行，處在這種自由的環境裡，我們無權要求飛機不要飛，汽車不要跑……。

所以我們要反觀自性、修養自己，使心地自靜。「靜」即是心地最佳的風光，離心之外，無靜境呀！一切的靜與動完全依心的趨向而定。人生有多長？生死起落之間到底有多少時間與距離？沒有人知道，所以人應該要及時行善。

現今的社會，給人浮動的感覺，由犯罪年齡降低可知，現在的年輕人，血氣方剛，脾氣非常暴躁。兩天前，某個學校一位小學生，只為了同學不肯把玩具借給他，一氣之下，拿起水果刀，向同學刺了好幾刀。這孩子才十歲，一生氣竟然造下這種滔天的大罪！受傷同學住進醫院加護病房，到底能不能

脫離險境，還不知道。

像這種心理偏激的犯罪案例，年齡層逐漸降低了。問題出在那裡呢？因為心理隨著外境浮動，道德觀念也跟著雜亂了，人生之所以造業就是由此而起。

米老大的故事

修行即要時時保持這分「靜」的境界，不管什麼境界，我們都要將「心境」靜下來。安定心念必須看自己修養的功夫，凡事不計較，則凡事不覺得吃虧；喜歡計較的人，無法心平氣和，反而常常吃大虧。

我曾在書上看到一則故事——在安徽省的一個鄉村，有一個人出生不久，父母即亡故，他在很貧困的環境中長大，既無法維生也無餘力讀書，所以他不識字，也不知道自己叫什麼名字。

他每天為了三餐而付出勞力、努力工作，每回出外找工作，他就跟雇主說：「我只要有米吃就好了！」因此大家就給了他一個外號叫「米老大」。

歲月不留人，他從少年漸入中年，結婚生子後，同樣為了三餐的米糧而勞苦奔走；因家住山邊，所以砍柴成了他換取米糧的生計來源。米老大非常

老實，根本就不知道什麼叫計較，他砍的柴都很乾燥，品質又好，所以很多人都喜歡買他的柴。

有一天，他砍好了柴送往城市賣，途中遇到一位很有錢，卻很吝嗇、愛貪小利的人，他知道米老大的柴又乾、品質又好，於是在半路上攔阻他進入市集，他說：「我要向你買柴。」米老大很高興地要賣給他，貪小利的富人說：「等一下，我們先來講價。」

米老大不解：「要講什麼價？」有錢人問：「你這擔柴要賣多少？」他說：「以前像這樣的一擔木柴，大家都給我三百文錢。」這個貪小便宜的人，當然不會給他那麼多錢，他跟米老大說：「一百文錢啦！」米老大用手數一數，三跟一差太多，這樣不夠買米，富人又說：「不然兩百文錢吧！」。

米老大算一算，覺得還是不夠買米，就說：「我不賣了，我還是走遠一點的路。」這位貪心的有錢人見不能得逞，就說：「賣給我，你就不必走那麼遠的路了，那二百五十文錢啦！」米老大想，再拖下去也很浪費時間，就說：「好啦！賣給你了。」富人就要求把柴擔到他家裡，堆好柴之後，富人才不大情願地拿出二百五十文錢給米老大。

有錢人問：「你叫什麼名字？我們來交個朋友，你以後都把柴挑來這裡

米老大看他那麼的生氣，覺得這個人真奇怪，就說：「我賣柴給你，你「豈有此理，你想佔我便宜，竟然說要把孩子當我的令尊。」那麼多孩子，乾脆一、兩個給你當令尊好了。」富人一聽非常生氣，他說：

米老大聽了很難過地安慰他：「喔！好可憐哦！你的令尊都死了，我有話，我怎麼可能有『幾個』令尊？而且我的『令尊』已經死了。」地反問他：「請問你有幾個令尊？」富人聽了，臉色一變，生氣地說：「笑我的兒子叫做令尊，我來算算看，嗯！我總共有十個令尊。」米老大也熱情有錢人欺侮他沒讀過書，故意整他說：「令尊就是你的孩子。」他說：「哦！

慳貪者又故意問：「米田共你有幾位令尊呢？」他說：「什麼叫做令尊？」共。他拿了錢，又有了新名字，高高興興地準備回去。別人一向都叫他「米老大」，所以米成了他的姓，米跟田合在一起，就是米田

那位有錢人戲謔的幫他取個名字叫「米田共」，米老大覺得很好聽，因為米老大非常高興。

大說：「那很好，活了這麼大歲數，總算有人替我取個名字，真謝謝你。」米老心裡有氣，便說：「你沒有名字？那多奇怪呀！我幫你取個名字吧！」賣給我。」米老大老實地說：「我沒有名字。」慳貪的富人因討不到便宜，

好意幫我取名字，我好意送兒子給你做令尊；你為什麼生氣，你真是吃定了我這個米田共！」

米田共是什麼？就是「糞」啊！富人越想越生氣，拿起棍子要打米老大，米老大仍然不解，就問他：「你這個人是怎麼了？沒事發這麼大的脾氣，還拿棍子打我米田共。」最後他就不理富人，拿起扁擔逍遙自在地回家去了。

學習傻子哲學

人生也是一門哲學，我們應該要學傻子的哲學。有時候心靜不下來，正因為不夠傻，若再傻一點，心境就會清靜。就像這位米老大，他傻傻地做，傻傻地生活，心裡沒有一點煩惱，而能過著平靜的生活；儘管必須付出勞力，才能夠換到米糧維持生活，不過他也是很逍遙自在。

而那位慳貪的富人，一天到晚只想佔別人的便宜，諷刺別人，以此為樂，結果他不但得不到娛樂，心中反而招惹更多苦惱啊！

所以說「心靜就是道場」，心不定則亂境生，結果就不斷造業。現在的社會充滿動與亂的形態，心動則一切人事皆亂，因此造罪犯案者越來越多。

希望人人調理心境，「靜定心」即是道場，大家要好好下功夫學習。

第八講　慈濟世界，清淨世界

溫暖的慈濟世界

我常常強調，「人生」與「眾生」絕對不同。

佛陀與觀世音菩薩倒駕慈航辛苦度化，是因為娑婆世界「眾生」太多啊！所謂眾生——就是為自己的生活而鬥爭、為生活而計較、為生活而造業的人，這都是眾生。

我們應該把「眾生」轉為「人生」。人生——就是有生活的禮節，有道德的觀念與行為。人若欠缺道德與禮節，就不成人了。

什麼是生活禮節呢？就是長幼有序，對長輩要有恭敬心、恭敬的形態。有的人會說：「恭敬放在心裡就好，為什麼一定要表現出來呢？好肉麻！」現在的年輕人常有這種觀念，這實在是很悲哀、顛倒的見解。

人生之美在於禮節，「禮之用，和為貴」，禮節最寶貴的功能就是維持「和諧」。晚輩有這分恭敬，長輩就有這分慈愛，上有慈愛，下有恭敬，必能造就

和祥溫馨的關係，這叫做倫理之美。倫理之美就在我們日常生活——「互敬」與「互愛」的行為中。

我們都知道，慈濟有一股力量，來自「和睦」。這分和睦與敬重，確實讓人感到一種無形的「和祥之氣」，而這分和祥的氣氛，可以造就幸福的人生。

最近有一位慈濟委員，遠從英國回來，她說她雖然離開本土，但是對慈濟的愛卻比在台灣時還更濃厚。在台灣時，跟大家很和睦、歡喜地相處，也深愛著慈濟，但一直到離開台灣，定居在遙遠的英國之後，才更深深感受到慈濟文化的可貴。她欣羨台灣有這麼多人能在慈濟文化中沐浴薰陶，她越珍惜、越覺得慈濟的可愛。所以，她要在異國做「拓荒者」。

目前雖然做得很辛苦，但是心裡很高興，而且能把慈濟宣揚於異國，又獲得人們的贊同，就是她心靈最大的快樂。的確，我聽了也由衷地歡喜。

不勝感恩

另外，有一位慈濟委員的先生也現身說法，他是經過許多波折後才加入慈濟的。畢竟是有緣人啊！當他聽到我講話的錄音帶時，覺得好像是「慈母的呼喚」，因而從內心起了歡喜心。一卷錄音帶他竟然重覆聽了將近八十遍，

然後理智地思考，選擇投入慈濟，因為他真正起歡喜心，對慈濟深感信心，才全心投入；所以他不只當委員，還加入慈誠隊並推動環保工作。

最近我一直在推動環保活動，社會是我們大家的，環境也是我們大家的，連空氣也是人們共同呼吸的，所以必須加以保護，不要讓它變成一個充滿垃圾的社會。這兩年來，慈濟不斷參與資源回收，很多慈濟委員為了響應這項環保工作，也脫下西裝到垃圾堆撿垃圾，希望能夠將可用的資源回收再製，作為惜福教育基金，進而減少垃圾的問題。

最近我接到花蓮明義國小二年乙班，老師與學生共同捐的六千元紅包，還有一個好重的撲滿。我問他們這個紅包做什麼用途？他們說要蓋慈濟醫學院。現在連七、八歲，甚至三、五歲的小孩，都會說要蓋慈濟醫學院。小學生捐錢來建大學，實在是慈濟創新的歷史，希望慈濟可以引導大家發揮愛心，並結合每個人的「愛心」與「力量」，一起努力推展社會公益活動，如此，我們的社會及世界就一定更清新祥和。

散播愛的種子

清晨打坐時，境界何其清靜，外面的鳥叫聲清脆響亮，好像是不間斷的念佛聲，又宛如快樂之音。在這靜謐的境界中，只要稍微用心，就可以體會到念佛的歡喜心。日常生活中要時時保持內心的靜謐，外境寧靜時，心得大自在；外境動亂時，心怡然不動，這就是學佛的至高境界。

這幾天，全省的慈濟人回來參加聯誼會，人數超過了五千人，連紀念堂也擠得水洩不通。雖然這裡沒有一個很好的場地，還要彼此忍受擁擠，但是大家都面露笑容，依然歡喜自在。

他們要回去時，分成三個梯隊來精舍告假辭行，每梯次約兩千人，大家浩浩蕩蕩地列隊進來，卻寂然無聲。坐在室內，竟然沒發覺到外面有那麼多人來，我由窗邊往外看，想知道這些人是怎麼進來的？原來是由慈誠隊領隊，高舉旗子做引導，大家就這樣前後有序地跟著旗隊走。我居高臨下看到每個

人的臉上都沒有倦容，雖然他們已經回來三天了，沒有充分的休息，但每個人的臉上都帶著笑容，大家在聽講時都精神飽滿，這股歡喜心、自在心是從那裡來呢？就是「愛」，他們充滿了愛慈濟、護持慈濟的心情，即使是路途遙遠，他們也歡歡喜喜地回來。

昨天美國的委員傳真回來，說他們舉辦了一個慈善晚會，原本預計一千人，結果超出預估，來了一千二百人參加盛會，他們說在美國辦此種慈善晚會，得到如此熱烈的響應，是非常難得的，所以傳真回來報告他們的成果與喜悅。

同一個時刻，不同的地點，慈濟人常有相同的活動。昨天我也接到台中委員的電話，他們舉辦了親子園遊會，參加的人多得難以計算，估計大約有二十萬人。我問這會不會估計錯誤，他們說這是最保守的估計，他們還說：「每個角落都好感動人，無法一一在電話裡報告，只先報告一項令好多人感動流淚的事。」

手語傳達美的教育

義賣啟幕時，由十二位啟聰學校的學生獻上三朵菊花後開始進行義賣活

動。他們問學生說：「你們為什麼獻上三朵菊花！」學生推派一位講話最清楚的同學上台解釋（不過，聽眾還是要猜他們的意思，可見他們的語言障礙是多嚴重啊！）同學說：「為了慶祝慈濟的園遊會，所以用恭敬心來獻花。」當場好多人感動得流淚了，就這樣，光是這三朵菊花就義賣了四次——買了就捐、捐了又賣，這樣賣了五千多元。這代表愛是無價的，愛的權益不是專屬有錢的人或健康的人，即使連語言、聽力有障礙的人，也有權益獻出他們的愛心，這是多麼溫馨的場面啊！

「愛」是無界限的，「愛」是人人有權的，所以我們要散播愛的種子。去年年底我告訴委員們應該要學手語，雖然語言是彼此溝通的方法，但若有人聽不見聲音，我們就得使用手語。

一來，人多聲音吵雜時，若使用手語，藉著動作就能了解對方的意思，不用發出聲音，而且團體能夠很寂靜整齊。尤其手語是「美的教育」，它的優美動作能使人「會心微笑」。再者，和言語聽力有障礙的人相處，手語是最好的溝通方式。

我鼓勵他們多學習，他們就撥出時間積極學手語，最後還被邀請參加啟聰學校的手語比賽大會。他們到那所學校發揮了功能，學生們都非常喜歡慈

濟媽媽，因為她們了解這些學生要做些什麼，了解他們的心，她們由手語傳達對學生的關懷，也因此結了善緣。

這次的園遊會，孩子們也來參加，並且獻花義賣，這證明不管在那個角落都需要去播種愛的種子，小朋友也有機會發揮愛心來做功德，並感動大家來共享這溫馨的場面。

另一個感人的故事，就是二十萬人離開會場後，連一張紙、一點垃圾都沒有，這讓當地人士讚嘆不已，這就是慈濟的世界——一個清淨、歡喜的世界。

嘗盡苦頭，會心向佛

學佛就是要把佛法當「路」來走，落實在生活中，使心明朗、清淨，絕不是在比誰學的佛法有多深奧，文句有多美，而是要知道人生的道路該怎麼走，舉手投足才不會有錯誤。

佛陀在世時化導眾生，也是一種「社會心理」輔導，當時社會人心有什麼病症，佛陀就針對這個毛病去輔導。

曾經有一位長者的獨生子，因為父母非常寵愛他，萬般遷就他，以致他對應有的禮節都不在乎，整日花天酒地，任他的父母怎麼勸導都沒有用。後來，他的父親認為可能是沒有給他擔負責任的緣故，所以心想：倒不如把家業交給他，讓他有個責任，看能不能安分守己。

他繼承家業後，不但沒有安分守己，反而變本加厲，因為用錢無人管束，在外面交了一些酒肉朋友，出去十天、八天才回來，整日留連忘返。幾年後，家產已被他吃喝、賭光了，最後在外面流浪，想找過去的酒肉朋友，卻都不知他們上那兒去了。偶爾在街頭巷尾相遇，拜託他們給他一頓飯吃，卻都沒有得到幫助，最後他只好流浪街頭乞食。即使有人想施捨金錢，但一看到是他，即把錢收回，甚至欺負、追打它他，景況實在非常狼狽。後來他想：雖然家道中落，但家人的三餐應該還安定。於是回去求他的父親，但回到家門口，父母同樣不肯認他。

會心向佛

後來他聽人說，天下最慈悲的就是佛陀，佛陀的心胸開闊，佛陀能寬諒天下眾生。他心想：倒不如依靠在佛陀的座下，這樣三餐就不必煩惱，也不用到處被人欺負，於是就往佛陀的精舍出發了。

佛陀看到他來，就問他：「你來此有何需求？」他說：「我沒有歸宿，我的生活也已經沒有著落，所以我想歸依在佛的座下，請佛陀慈悲收留。」佛陀說：「天底下最慈悲、最關心、最能容納你的，莫過於你的父母，只要你能浪子回頭，父母一定會接納你。須知如果你心地不清淨，即使在佛門裡，內心還是一樣藏垢不淨，現在最需要的是清淨你的心地，唯有回去向父母懺悔，讓父母年老時看到兒子浪子回頭。好逸惡勞是人生失敗的原因，你要好好在日常生活中孝順父母、調和聲色。交朋友要選擇良友、做事要信實真誠，只要你以這四種心態回去，你就可以東山再起。」

佛陀如此諄諄教誨，這年輕人就聽佛的話回去了。不管父母如何生氣，如何趕他，他都了解：天下沒有比父母的心更慈悲，也沒有比家庭更溫暖的地方，一時的錯誤，父母難免生氣，但天下沒有不原諒孩子的父母。

他向父母求懺悔，他的父母表面上雖然很氣他、不原諒他，其實內心很擔心他又走了，這就是為人父母的內心矛盾。看到兒子如此懇切地懺悔，父母就對他說：「過去的已經過去，你如果真正懺悔改過，我們可原諒你，讓你東山再起。」

知子莫若父，所以當初長者只給他部分的家產。這回兒子知道懺悔改過了，父母才把所藏的財產通通拿出來給兒子做生意。現在的他徹徹底底地改過，對父母很孝順，對人抱著寬容的心，行為也很端正。三年後，他完全成功了，不只是個孝子，也是親戚口中所讚嘆、地方人士所尊重的好人。他本來是一個放蕩的孩子，經過佛陀的教導，短短三年變成了一個很成功的人。

佛陀未向他說法前，他是花天酒地，任父母如何教導都不接受，佛陀以智慧將他的人生完全改變過來。但也可說是他本身經歷了一段落魄與狼狽的生活後，才會歸心向佛，佛陀所說的話他才會誠懇接受。總而言之，人生需要環境來磨練，需要吃過苦才知道苦的源頭，佛陀就是把握時機發揮輔導的功能。

使用生命，使用人生

早上，我從屋內走出來時，天還未亮。進入大殿靜坐片刻，等到開靜時，天色已經漸漸明亮了。當時，我好想抓住時間，不讓它溜走；但是，偏偏留不住，時間還是分分秒秒的消逝了。

有句話說：「把握人生，把握時間。」但是我深深體會到——世間沒有任何東西能讓我們把握得住，也不可能讓我們永遠擁有。所以我現在要說：「時間是我們把握不住的，也讓我們留不住。」時間無常啊！

而且，生命也無法把握，看看幾十年來自己的形象，自從離開母體後，時時刻刻都是帶著這個生命體在動作，但是幾十年前的身體跟幾十年後的身軀不同，我們把握住那一個時刻的身體形態呢？我們不斷地在變，所以生命沒有任何一個時刻讓我們能把握得住。

昨天某大醫院有一群志工來訪，其中有一位婦女對我說：「師父！我是

某某醫師的姪女。」她告訴我：「他最近得了癌症。」我說：「我聽過，他也來過，是個好醫師啊！」她說：「已經有一年多了，只是他一直不願意講出來而已！」那時我覺得他是一個醫生，可以醫治別人的病，而自己有病時，為什麼不能預先知道呢？大家都說：「癌症不可怕、怕的是太晚發現。」這位醫生面對這麼多的患者，為什麼自己患病，卻延誤治療的時機呢？

昨天我到慈院去時，有兩位中國醫藥學院的學生，專程來和我見面，他們真的是好青年，雖然我昨天很忙，但是我看到他們那麼虔誠，就跟他們見面。他們來的目的，是因慈濟醫院正在推行中醫，除了發展西醫醫學以外，更希望弘揚中國的傳統醫術，徹底解開中醫之謎。所以最近我請人到大陸研討中醫學，讓有志於中醫醫學的年輕人，到大陸研究中醫，將來回到台灣能應用在臨床與研究上，發揮救人的功能。這兩位學生知道這個消息後，代表他們的同學來致意，希望將來在中醫的路上能得到慈濟的力量支持與配合。看到他們有這分心，我也很高興。

一剎那中也經千劫

他們不只有心，而且在他們身上，我看到和平常年輕人不同之處。現在的年輕人學醫以後都很高傲，但是他們兩位很謙虛，說話都很得體。其中有一位說，他有一位同學很不幸的在大學二年級時，發現得了先天性淋巴腺癌，全身的淋巴腺都結瘤，他意志頹喪，但是對學業很認真，這個癌已經蔓延到腦部，甚至塞住耳朵，已聽不到了，但是同學們一直鼓勵他，放錄音帶給他聽，拿書給他看。

這位同學在生命的最後旅程中，就靠我的書來支撐他的精神。這位年輕人還說：「他有心想見見師父。」我說：「很好呀！」我又問：「學校的教授那麼多，有沒有幫他呢？」他說：「有啊！教授很關心他，也幫他看病，藥也吃了，還送他到美國開刀啊！」我說：「原來，醫生只能醫病不能醫命。」

另外一位同學告訴我：「師父，我有一位同學的媽媽，他很需要您的幫助。」他說，這位同學的父親腸癌拖了很多年，而他的媽媽罹患乳癌。因為先生腸癌，這位太太很用心地照顧先生，結果拖了好幾年，也延誤了自己的醫治時間，現在先生已經過世了，而她的癌細胞也已蔓延了整個乳房，雖然

開刀切除了，但是喪夫之痛、再加上病痛之苦，真是痛不欲生。」

所以，他們也請她聽錄音帶，也希望把她帶到慈濟台北分會當志工，有個精神寄託。

還有一個例子是，兒子在唸書學醫時，父親病了，母親也病了，有很多醫生來醫治，但是一樣沒辦法起死回生。

看看這些例子，究竟有誰能把握得住生命？所以我現在不說「把握生命，把握時間」，應該是「使用生命，使用時間」。世間沒有任何東西是我們所擁有的，時間不是我們所擁有，生命也是。我們擁有的只是使用權，而非所有權，能使用它的時候，就盡量利用，發揮它的功能，即使只是剎那片刻。佛陀說：「時間剎那即是千劫，千劫可為剎那。」全看我們怎麼使用，如果運用得當，雖然只是一念頃，也是永劫之幸。

為佛教、為眾生

回想三十年前，我頂禮皈投在上印下順上人的座下，那時上人告訴我：「要為佛教，為眾生啊！」輕輕一句話，卻對我產生很大的震撼，我當下立個願，要盡形壽、獻身命，「為佛教、為眾生」。當年的這一剎那，永遠都無

法消滅，永遠發揮其功能。

後來，這幾句話成為「佛心師志」的理念，不管是台灣或者是國外，只要有慈濟人的地方，這句「以佛心為己心，以師志為己志」，就做為啟發眾人慈悲心，投入慈濟的勉勵語。這就是化一念頃為千劫！不管經過多久的時間，這一剎那間所啟發的作用，都沒有變異。

所以我們要利用時間，好好使用生命體，這樣，我們來到人間才有價值。醫生能醫「病」，卻沒辦法醫「命」，我們就是靠生命力來發揮功能。所以佛道需要時間累積而成，菩薩行也是由時間累積成的，這端看自己如何使用生命，發揮良能！

第九講　歡喜踏上菩薩道

培育人間的佛陀

今天，是慈濟醫學院動土興建的日子，從昨天開始就不停下著細雨，雖然，早上的天氣比昨天好多了，不過我心裡仍舊擔心是否還會再下雨？更擔心會影響今天的典禮活動。

下雨時，出入很不方便；出大太陽又會讓大家曬得很辛苦，想來想去，人生煩惱的事，實在很多。但是以另一角度來想，下雨就是春風化雨的好現象，春雨綿綿淨化大地也是好兆頭啊！假如太陽很大，就是代表陽光普照，光明在望。只要能善解，不論下雨或是出太陽，都盡本分去準備妥當，如此就可以心安理得。每一回慈濟有活動，大家都歡歡喜喜、盡心盡力完成工作，不必師父操心，我真是非常感恩。

從今天開始，四大志業中的教育志業，將向前跨出一大步。現在的年輕人需要我們用心建設教育環境、用心栽培他們，有許多父母來到慈濟就說：

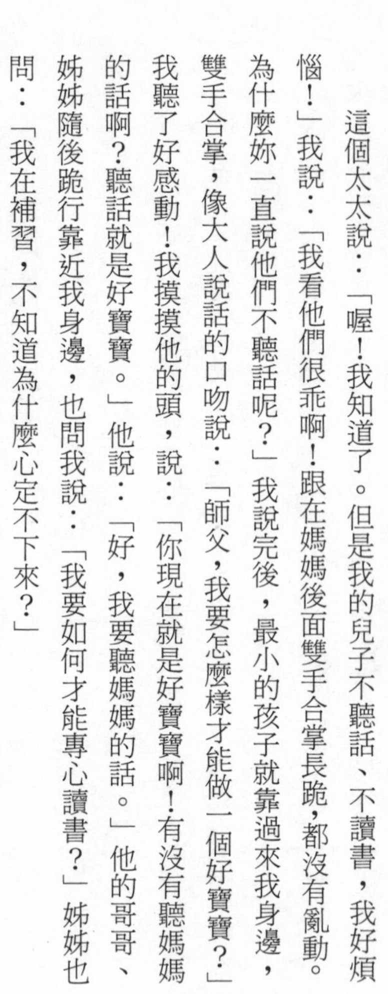

「師父！請您告訴我應該怎麼做……。」幾乎都是孩子的問題。

比如有位媽媽帶著三個孩子來告訴我：「我很煩惱！您能為我開示嗎？我要如何做？」她說：「我對媽媽很孝順，卻無法愛我的婆婆，而且我的孩子都不聽話，怎麼辦呢？」我告訴她：「對家裡的媽媽能這麼孝順，為什麼對婆婆不能？其實你現在最煩惱的是孩子不聽話，對不對？」她說：「是啊！」我說：「妳要兒子如何對妳，妳現在就應該孝順婆婆，這是身教呀！」

這個太太說：「喔！我知道了。但是我的兒子不聽話、不讀書，我好煩惱！」我說：「我看他們很乖啊！跟在媽媽後面雙手合掌長跪，都沒有亂動。為什麼妳一直說他們不聽話呢？」我說完後，最小的孩子就靠過來我身邊，雙手合掌，像大人說話的口吻說：「師父，我要怎麼樣才能做一個好寶寶？」我聽了好感動！我摸摸他的頭，說：「你現在就是好寶寶啊！有沒有聽媽媽的話啊？聽話就是好寶寶。」他說：「好，我要聽媽媽的話。」他的哥哥、姊姊隨後跪行靠近我身邊，也問我說：「我要如何才能專心讀書？」姊姊也問：「我在補習，不知道為什麼心定不下來？」

老實說這些孩子們都很乖，他們雙手合掌跪了二十多分鐘，不亂動、不離開，專心聽話，而且非常有心接受教育！為什麼媽媽一直埋怨孩子不聽話？

開拓菩提花圃

其實，想要讓青少年得到最正確的教育，必須要有正確的思想，要「以身做則」，才能教育出好的學子。就像慈濟護專的孩子，除了老師傳授學識的教育外，我們還安排懿德媽媽來輔導他們的生活，期望集合大家的智慧和愛心，教育出品學兼優的學生。

慈濟人的教育是以精神來引導學生，用我們的真誠、美德來感化他們。所以，在慈濟醫學院動土的日子裡，我要向大家說：「從今天開始，我們一起來開拓另一塊豐沃的土地，開闢出一片苗圃，種下菩提苗，培育人間的華佗與大醫生。」

一分努力，一分收穫，良好的教育需要我們用心投入，真正以身作則。

攜手同心，行菩薩道

慈濟醫學院已經動土興建了，我們預定在民國八十三年招生，充分發揮慈濟的醫學教育功能。雖然昨天有點熱，不過大家臉上都帶著笑容，有一分歡喜又自在的感覺。

這個世間稱為娑婆（堪忍）世界，能堪忍才能生存，但是忍實在很苦啊！強迫忍苦叫做堪忍，忍苦的臉孔實在是很難看。但是在慈濟世界中，不管處在怎樣的天氣與環境，大家都流露出自然的笑容，沒有把身外的境界當成苦，而且能善解身外的境界，這叫做修行的功夫。修得歡喜、修得自在，能夠善解自在就是淨土，就是諸佛菩薩的世界。

昨天我看到這些場面，實在很感恩。感恩三寶的威力，感恩天龍護法的加持，感恩所有慈濟人的這分誠懇與發自內心的愛，也感恩我們的政府首長，他們都放下忙碌的工作來參與盛會。

我聽吳部長說：「郝院長從來不曾參加任何建設的動土儀式，這次他是破例而來。」讓我更感動的是，他患了重感冒，卻堅持來參加，他如此誠懇，無非是鼓勵與肯定慈濟人對社會的建設、對人生的淨化。也有許多基金會的董事長，對慈濟非常支持與愛護，昨天來參加盛會時，同樣也在大太陽下坐兩個多鐘頭，看他們那麼的誠懇又滿心歡喜，我實在是非常感恩。

這所有的一切，我無法用語言來表達，千言萬語都沒辦法表達出萬分之一的感恩，我只在內心默默立願：「要盡形壽，盡心力把教育辦得更好，能夠普遍受到國際人士所肯定。」看到這麼多支持慈濟的人，我想這個願望一定能夠達成。

並行走上菩薩道

我在場地四周繞了一圈，走到會員集合的地方，在那裡有很多讓我感動的事。一個四歲的小孩很親切地叫著「師公！師公！」，手中拿著一個很厚的紅包，對我說：「這是要給師公建學校的。」我問他：「你怎麼會有這麼多錢？」他說：「我會打工啊！是媽媽給我的。」實在是又可愛、又天真，真正是愛與無邪的自然流露，令我好感動。

另外，有一位老菩薩同樣拿了一個厚厚的紅包，她告訴我：「師父！我今天能親自來參加典禮，實在很高興，這是我做工賺取的，讓師父建醫學院。」我問：「阿婆！您幾歲？」她說：「八十一歲。」我不解地問：「您八十一歲做什麼工作呢？」她說：「我住在鄉下，拿羽毛球的加工品回來做。」我說：「你的視力還這麼好啊！」她說：「我的視力還可以，趁我還能動時，多少為師父盡一點心力。」我說：「好感恩您。」阿婆身邊站著她的先生，趕忙拿出一個紅包，也說要捐款，這些錢也是做羽毛球加工賺來的。

這對老夫妻都八十幾歲了，還是有心來幫助師父，減輕師父的負擔。俗話說：「公修公得，婆修婆得，各人修各人得。」各人做的就是各人的福，所以他們夫妻兩人為善競爭，並行走入菩薩道，這才是真正的互敬互愛。

建設醫學院比蓋一間醫院更需要用心、用人、用力，不過，有了大家熱心的支持，讓我的內心很自在，也增強很大的信心，當然這也要靠大家的力量。人來到世間，就要盡量發揮自己的良能，這樣才不會白來世間一趟。

所謂智慧就是要成就他人，大家如能全心全力培育下一代，則醫學院、乃至將來的慈濟大學，這些目標就不遠了，千里之路始於初步，我們的醫療教育和將來最高的學府由此起步，現在需要大家手牽著手、肩並肩，以歡喜

心所發出的力量，共同開創新目標；要做得歡喜自在，而不是做得很勉強，這才是最大的福呀！

不計得失，歡喜自在

人之所以不得自在，多數是因為得失之心，一般人若是有所付出，就希望有所回報。所謂：「富者患失，貧者患得。」一家庭貧困或是有欠缺的時候，就會用心計較，想「得」到心中所要的。富有的人擁有財富、地位，卻也時時擔心有所損「失」，這都是人生不得自在的因素。

佛陀在世時，同樣也有這樣的人生，所以佛陀用心教化，以調整凡夫的得失心。當佛陀在舍衛國時，地方上有一位長者，這位長者有一個獨生子。長者給兒子非常富裕的生活，但是這孩子卻非常貢高傲慢、欲望很大，對父母不孝順，對親戚長輩沒有恭敬心，對朋友沒有一點仁義，對家奴非常地刻薄。

年邁的長者把家業負託給兒子，他卻變本加厲，對父母更加不孝，目無尊長。事實上，他的內心也是很不快樂，他貪得無饜地想：「我今天有這麼多財產是與生俱來的福，只要我再多求福，天神自會賜給我更多的財產。」所以他時常對婆羅門梵志布施結緣，但這是為了求取福報，以得到更多的錢財。

婆羅門梵志對他說，一個月要祭祠多少次，他總是言聽計從，幾乎每天擺香案祭天，而祭拜的牲禮無數，並供出許多珍寶。如此經過了五年，他一直樂此不疲，但他的家財卻慢慢消耗掉，他的青春消逝，身體也慢慢衰弱了，但他的期待從沒有實現過。

如此又過了三年，他已經到了傾家蕩產的地步，這時他心中很疑惑：「為什麼我一直求福，卻從未得福？我很聽婆羅門的話啊！為什麼我每天拜天、祭祠、供養，家財不但沒增加，卻到了生活困難的程度。」後來他聽人說，釋迦牟尼佛能開解眾生的迷惑。於是他到精舍去向佛陀請示，懇求佛能賜他致富之道。

求而捨，反而造業

佛陀知道他的生活及種種形態後，就告訴他，貧富之道有四種，所得也有四種——

一、是施多得少；

二、是施少得多；

三、是施多得多；

四、是施少得少。

佛陀解釋說：「什麼樣的人是施多得少呢？就是平時不知付出愛心，一心求福的人，這種人平時不知敬重尊長，不會孝順父母，連做人的基本觀念都沒有，卻想要求福，這樣的人儘管花了很多錢祭祠，還是無所得啊！

第二種施少得多：當眾生需要你時，能及時付出而不求回報，無求的心就是無量的功德。

第三是施多得多，別人之事，他能身心投入、出錢出力、心無所求，而能得到現在的財富，得到現在的身心自在，得到人人的敬重，在人人敬重歡喜之中，同時也踏上了菩薩道而面向佛的境界，這叫做『施多得多』。

第四種是施少得少，這種人甚是慳貪，布施一點點，卻認為已布施很多，並計算著自己有多少功德，這種有所求的付出，布施出去不僅沒有得到功效，相反的還會造業啊！」

我們聽佛陀的這段開示，就知道平時做人最要緊的是孝順父母、敬重尊長、親愛周圍的人，甚至要福利人群，這才是真正造福的根源；假如為了「求」福而布施，甚至傷害生靈祭天，則沒有福可得啊！

何時不禪定

一個學佛者，要照顧好自己日常生活中的心念行為，這是每天的功課。打坐時身體要坐挺，心要調好。但調身不只是在打坐時坐得挺直而已，在日常生活中的舉止動作，不論行、住、坐、臥，也都一定要很注意。

除了調身之外，更要調心。人的心念是最重要的，一切動作莫不是從心而起。日常生活中驅使我們向善、向惡的，都是由這一念心而起。

我們學佛就是要常常培養愛與歡喜。如有清淨的愛心，在人生道路上就不會走錯。此外要常保歡喜心，有歡喜心就不會退步，有歡喜才會精進！有人說，佛教的教理很深，必須聽很多道理才能開智慧。老實說，探討佛教教理和研究社會學問一樣。有些人即使已修得博士學位當教授，可能也只有「學歷」，卻欠缺「學德」；會教書卻不會做人，因為「有學問」的人不一定「有品德」啊！而有的修行人，會研修佛學，卻不一定會去實行。所以修行必須「修德」，力行比修行更重要。

上回，慈濟志工要去慈院服務之前，大家作了簡單的會報，其中有一位慈誠隊的志工起來講話，他說：「我住在宜蘭龜山，那是個交通不方便，又沒有文化氣息的地方。我過去以討海捕魚維生，每回出海，總希望能多捕一點，好改善生活。尤其是我從小到大，每餐都要吃魚，沒魚根本就吃不下飯，所以每天都要捕很多的魚。但我的身體從小到大就一直很不好，不但身體不好，脾氣也很壞。」

不論是晴天或下雨，他都要出去捕魚。捕完魚回家時，他的家人和孩子如果是在看電視，一聽到他回來的聲音，就趕快一溜煙跑掉，好像看到鬼一樣；有時則隨便抓一本書假裝讀書。他雖然為了家庭，每天辛苦地與海搏鬥，

但是回到家裡，沒有一個人能體貼他。他覺得非常委屈，只要看到人就罵。因為他常常罵人，所以沒有人願意跟他親近。

他說他的生活真不知要怎麼過，每天都發脾氣。當時他有兩種心，一種是貪心，想捕更多的魚；另一種是瞋心，看到人就要發脾氣，導致沒有人給他好臉色看，所以他覺得滿腹委屈與怨氣。

宛如華佗再世

而且他的身體多病痛，每回都去找一些很有名的醫生，但吃了許多藥，還是治不好，因此常常換醫生。他每回都看到醫院掛著一幅扁額——「華佗再世」，但這些醫生雖很高明，卻醫不好他的病。

他有個朋友住在宜蘭，是慈誠隊員，而且太太是慈濟委員，過去這個朋友脾氣很壞，但現在夫妻倆都很親切，這使他很感動，也覺得不可思議，他們竟然能改掉壞脾氣。

這個朋友一直鼓勵他參加慈濟功德會。當他對慈濟越深入，與委員們常在一起後，漸漸就被整個團體感化了，最後他也加入慈誠隊。他說，這一年多來，不但沒捕魚，也不吃魚了，而且全部素食。自從他加入慈濟，放棄捕

魚並開始素食後，脾氣完全改好了。現在若回到家裡，太太小孩一聽到他的聲音，都會很歡喜地圍過來，聽他說在慈濟所看到的事。

他前一次當志工時，在急診室看到兩件事。一件令他覺得很遺憾，另一件令他覺得很溫馨。

第一件事是：兩位師院的學生，假日騎機車去玩，但是沒戴安全帽，兩人邊騎邊講話，車速可能也很快，一不注意，機車就撞到山壁。一個是輕傷，一個比較嚴重，送來急診室時，他趕快幫忙急救。經醫生診斷處理之後，留在那裡觀察、休息。

我們的慈誠隊員就過去問他們：「你們是那裡的學生？你們騎機車沒戴安全帽，老師沒規定嗎？」她們說：「有啦！學校規定要戴安全帽，但我們沒戴。因為我們的頭髮梳得漂漂亮亮的，戴安全帽就會變得很難看。」

這位慈誠隊員忽然想到，師父一直要大家遵守慈濟十戒中的交通安全戒。他說，這些學生如果聽過師父的規矩，自然會戴安全帽，現在就不必在額頭縫那麼多針，破壞了五官相貌。

這時候他轉過頭來，剛好看到我們慈濟護專的學生下課回來，他們每個人都很有秩序，每一位都穿著整齊的校服，一手捧著安全帽，另一邊肩膀上

揹著書包。一個個臉上都掛著笑容，快樂安祥。他覺得很安慰，我們慈濟的教育真的是很成功。

還有另外一個人，是在一個月前發生車禍，被人送到某大醫院治療，經過三個禮拜都沒有起色。後來他去找接骨師推拿，結果嚴重到幾乎無法呼吸，最後送來慈濟醫院。醫生很仔細地幫他檢查，診斷出是胸骨裂傷，致有一小部分骨頭插入肺裡。雖然只是一小部分，但是他的肺部已出血一個月了，那些血積得太多，壓迫肺部，導致呼吸困難。醫生診斷後，馬上送他去開刀房，在他胸口開一個洞，引流血水，這個病患醒來後，就覺得較輕鬆、舒服多了。

這位慈誠隊員，親眼見到醫生幫助病人脫離病苦的經過，他說：就好像見到了華佗再世一樣。

分分秒秒，端正思維

他還沒入慈濟之前，有「貪」念，想多捕一點魚、要多吃一點；但他捕較多的魚對家庭並沒有改善；三頓飯都吃魚，對身體的健康也沒有幫助。在家裡他一直覺得自己付出很多，所以家裡的人都要挨他的罵。因為他常常罵人，家庭氣氛自然就不好。他每天所過的，都是發脾氣的日子，這就是「瞋」。

而且所處環境讓他發脾氣，是為什麼呢？這就是「癡」。

踏入慈濟以後，他看開了。他看到美好的世界，看到善良的人生，他覺得自己雖然沒讀過書，環境也不是很好，但慈濟是一個平等的團體，大家平起平坐，不分高低。他從此體悟人生真理，也愛上了人生；由於有這分愛，使他常常心生感恩；有了感恩心，他的家庭就充滿和祥氣氛。

他的人生觀完全改變了，他現在所走的是菩薩道。他一方面學，一方面不斷幫助人，另一方面則去影響別人。人家是雙管齊下，他則是三管齊下。除了改變自己，能夠付出愛心，自己又不斷地吸收平等的智慧，這就是佛法，這就是菩薩道。

話說回來，調整自己的身心，不能只靠幾分鐘的打坐，或幾天時間的打禪七。最主要的是我們的心，要分分秒秒調整，保持正念、趨於正定。若能常常調整心念，何時不禪定呢？

第十講　與佛同世，與佛同地

萬般帶不去，唯有業隨身

人處於娑婆世界，必須堪忍！

有些人不堪忍，但也是無可奈何。近日我到慈院加護病房探視，有好幾位腦中風及腦外傷的患者，一直在昏迷中，不知道什麼時候才能甦醒過來。護士告訴我：「好奇怪呀！最近腦中風的病患，年紀越來越輕。」我察看了一下，真的有四、五十歲就中風的。

有人以為高血壓是老年人才有的疾病，其實不然；因為人只要還有呼吸、還有生命，不管老少，什麼樣的疾病都可能發生。所以我常說，人生只有「使用權」，而沒有「所有權」啊！當我們身體健康、還有能力時，就要趕快充分利用；唯有充分運用、多付出，才真正發揮功能及良能。

「萬般帶不去，唯有業隨身。」業，有善業，也有惡業，行善是將一顆善種子種在八識田中（也就是業識之中）；做惡也是一顆惡種子落入八識田

中，凡是起心動念、舉步動作，業即形成。

佛陀在世時，慈悲愛護一切眾生，貧困的、病苦的、他都愛護關心。那時，有一位長老比丘，病得非常嚴重，全身污穢不堪，又沒有人去看顧他，歷經長時間的煎熬。

佛陀聽說老比丘病重，於是帶領弟子來到他的住處，還沒進門，遠遠就聞到一股惡臭味，佛的一些弟子很惶恐、畏懼，不敢接近這個病比丘。佛陀慈心殷切，毫不猶豫地走近他的身邊，掀開毯子一看，他全身都是濃瘡、污穢物和潰爛的傷口；若不是看他的眼睛稍微轉動，並發出呻吟的聲音，實在沒有人相信他還活著。

佛陀悲憫，趕快叫弟子取水為他擦洗，但是弟子們實在是無法忍受那一股惡臭。佛陀就親自為他擦洗，清理乾淨後，還為他整理周圍的環境，這時候佛仍然不忍離去，於是繼續留下來為老比丘說法。

當時，國王知道佛陀親自照顧一位生病的比丘，心裡非常感動，但是也很疑惑，於是來到佛陀暫時居住的處所。他虔誠恭敬地禮拜佛陀，並問道：「這位比丘究竟造什麼業？為什麼他既貧又病，被人遺棄，又經歷這麼久的折磨？但最後卻有這樣的福分，能讓佛陀照顧他？這分罪與福的因緣是怎麼

來的？」

佛陀說：「這是很久以前的事情了。在過去無量劫以前，有一個國家的國王以非常暴虐的手段來統治人民。如有人不肯服從，就使用酷刑。他設計了許多很殘忍的刑法，交給一位叫做『大力五百』的人去執行。

大力五百的意思是說，這個人具有很大的力量，他一人的力量等於五百人的力量。他那暴烈的心態正符合國王的心意，所以國王就把執刑的任務交給他。他既貪心又殘忍，若是犯人給他重禮，他執刑時就下手輕些；如果沒有送禮，即使是冤枉、無罪的，他也是對他們重重的鞭打。

後來有一位賢者，他付出愛心、慈心給人群，卻也難免遇到誹謗陷害，被人抓到官府。這位賢者看到大力五百氣兇兇地來到他的面前，就說：『我是一個佛的弟子。我平時對人問心無愧，我是冤枉的，希望你能發發慈悲心，從輕發落。』

大力五百看到這位賢者相貌莊嚴，內心也不由得生起善念，他在執刑時，雖然將棍子重重舉起，卻輕輕地放下，沒有鞭打到這位賢者的身體，就放他回去了。」

佛陀說：「過去那位大力五百，就是現在的長老比丘；而那位賢者就是

我——釋迦佛。我生生世世為人群、為社會造福，也常受盡無數的委屈。大力五百一生暴虐惡毒，他鞭打了無數人，也陷害無數含冤的人。

他死後，在三惡道中受盡折磨；今世又來生人間再受餘報，所以多病痛。因為他過去生為人暴躁惡毒，所以今生病痛時沒人照顧，被人遺棄。但因他起了一念善心，並有恩於我，所以能夠生在此時，有福分出家，而且讓我有回報的機會。這都是過去生中，有這分舉手投足的因緣哪！」

舉止動作，無不是業

昨天我在醫院的加護病房裡面，看到許多病患躺在病床上，我們很盡心地照顧他，希望他能早日離開加護病房，盡快恢復體力；可是有些昏迷的人，要恢復健康似乎遙遙無期。

所以人應該要好好利用身體，平常身體健康、可以為人群付出的時候就要趕快做。因為起心動念、舉止動作，無不是業啊！若能多造福，就能常常遇到福人；若做損人之事，一定會不利於己，而且常會遇到無可奈何的煩惱。

修行就是要顧好自己每時每刻的心念，如果每一時刻心念都能照顧得好，所作所為絕對能利於人群，這就是修行。「修」就是修心養性，「行」就

是端正行為，也就是我常常講的一句話——時時刻刻照顧好我們的心，愛護我們的心，不要讓自己的心出軌。

心若沒出軌，行為就會端正，不會做錯事。起心動念、舉止動作無不是業啊！所以說「萬般帶不去，唯有業隨身。」我們對生命沒有所有權，唯有「業」是緊緊跟著我們，想捨棄也沒辦法！所以，大家最好運用人生的福業，發揮學佛的良能。

不思過去，不想未來

人生舞台如夢如幻，確實令人覺得悲喜交織；有幸運的，也有很不幸的。譬如昨天的新聞報導，在高速公路上，同一個路段，前後相差不到一公里，總共發生七處車禍。

有的車子雖經碰撞，駕駛人卻毫髮無傷，並且互相慶幸；也有人僅受一點輕傷，就彼此計較，在現場鬧得無法解決，造成交通阻塞有些車禍起因於

路上霧氣太重，小轎車跟在大卡車後面，大卡車突然剎車，小車因為沒保持安全距離，就撞進大車的車底下，後面的遊覽車沒看見前面的小車，又撞個正著。

結果，這輛小車被兩輛大車前後夾攻，整部車已不成車形，也造成連環車禍。人的身體是肉做的，在兩輛車的夾攻下，可想像得出車子裡面的人會變成什麼樣子。據報導，那部車子裡的三個人都當場死亡！

人生其實還有什麼好計較的呢？

昨天我去慰問病患，因時間有限，只探望了一部分病房。當我要下樓時，我們的志工推著一位的年輕小姐迎面走來，這位小姐好像很高興的樣子，不斷歡呼著：「哇！看到了，看到了！」

我左看右看，並沒有看到什麼奇特的東西，就問：「妳看到什麼呢？」她說：「看到師父呀！」她伸出一隻手來，我就拉著她的手問：「你還有一隻手呢？另一隻也手伸出來呀！」她掀開被單，很吃力地將另一隻手扶起來……。

原來她是騎摩托車時被一輛轎車撞倒，昏迷不醒，在我們的加護病房住了將近一個月才醒過來。她的命是撿回來了，但是身體的功能卻無法痊癒；

一邊可以自由行動，另一邊卻無法動彈。這是一瞬間發生的事，這個女孩子才二十一歲，她的大好人生從此要怎麼過，看了令人心疼。

但是她很樂觀，她牽著我的手說：「好溫暖哦！」我問她：「妳可曾看過我？」他說：「我每天都想看您！」志工告訴我，她每天復健時都哭。「妳為什麼復健會哭？妳哭什麼？」「因為很痛呀！」我就告訴她：「要忍耐啊！痛就是希望，會痛就是會好嘛！不痛才令人擔心呀！每一次在復健時，如果覺得痛，妳就要感到歡喜。那表示妳有感覺嘛！會感覺痛，就慢慢會動了。妳要很歡喜！心想『痛快』！『痛快』！（痛苦快快過去！）」

她對我說：「您能每天來看我嗎？」「我如有時間，就來看妳。」「我希望您身體健康，希望您保重自己。」我聽了好窩心，又好心酸。她自己已經是半身無法動彈了，還擔心我的健康。我覺得這就是每個人內心深處潛藏的愛，一分沒有污染的愛。這麼善良的女孩子，因意外而造成這樣的病，她並沒有忘記要從內心深處去表露她的愛，實在是令人感動。

人每天忙忙碌碌，在一瞬間會有什麼遭遇變化？沒有人知道，試問：這趟出門會平安嗎？能事事如意嗎？什麼時候會有逆境？沒有人知道，只有因果會歷歷分明。因為人生就是：如是因、如是緣、如是果、如是報。但是，

不要想過去曾做什麼？也不用想未來是否平安？最好是把握現在這個時刻。過去的已經過去了，就不要再生雜念，未來的還沒發生，妄想是多餘的。

珍惜此時此刻

最要緊的是此時此刻，如果當下此時能做得好，就能心安沒有罣礙。心靈沒有罣礙，則向前走的每一步，都是歡喜的路。能種歡喜的因，就會有安樂的果，何必懼怕未來會有什麼樣的坎坷呢？如果我們平時所做的都是利益人群的事，走到那裡都會很歡喜、很自在；假使做了虧心事，不管是住在無人的深山或偏僻的海角，內心總是無法平靜下來，看起來必定很惶恐，這就是沒有照顧好當下的每一個心念。

學佛就是要顧好現前、當下的這一念，如果將這一念照顧得好，即使在大庭廣眾之下，都能很安寧、自在。而眼前的這一念、這個動作沒做好，未來不論走到那裡，這個不安的心念，就會時時跟著浮現。

平時我們對人就應該付出關懷，才能安樂；即使遇到事情，也能化解。總之，人生的一切，全都是過去累積的因緣所會合。因緣若會合，即使像在高速公路上發生連環車禍，也會平安無事，重業輕受，這就是有福的人。

因緣不同，當然結果也不同。好的因緣，就是從照顧好當下的這一念開始。

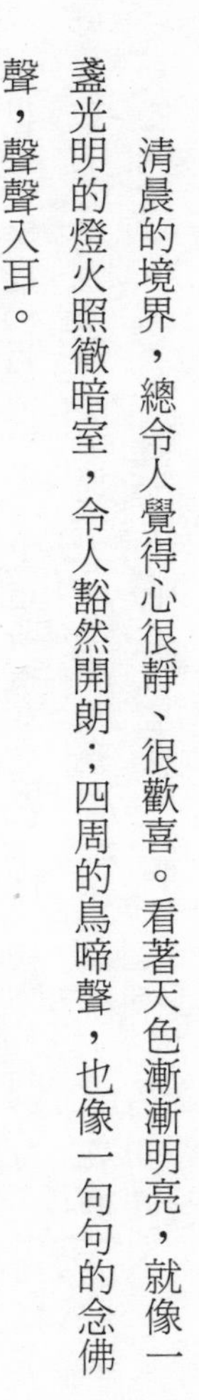

用心即是福中人

清晨的境界，總令人覺得心很靜、很歡喜。看著天色漸漸明亮，就像一盞光明的燈火照徹暗室，令人豁然開朗；四周的鳥啼聲，也像一句句的念佛聲，聲聲入耳。

在〈阿彌陀經〉裡，西方極樂世界以黃金為地，四邊階道都由玻璃合成，並有各種寶飾，和白鶴、孔雀、鸚鵡、舍利、迦陵頻伽、共命之鳥……等，多種很美麗的鳥，那些鳥無時不在演唱法音。

其實像西方極樂的那般境界，在我們眼前也有。只要心清無欲，則遍地都是黃金；否則，黃金也會變成污染心地的垃圾。心若無欲，則看什麼都很美、都覺得很可愛，能讓我們欣賞，讓我們的心靈受用。

看看外面，雨過天青，每棵樹、每枝草都被雨水洗得很清新、很茂盛。這種清淨的境界，就像在淨化我們的心靈，外界是有鳥鳴，內心是在念佛，那一種聲音不是如清泉流水？那一種聲音不是在淨化我們的心地？若心有善念，心有佛法，則無論何時何地，都像在聆聽佛法一樣。

前一回我去台北，有一位會員告訴我：「師父，我每天上下班時，坐上公車，一定會聆聽師父的聲音。因為這輛公車每天行駛在路上時都會播放『慈濟世界』廣播節目，乘客一上車所接觸的就是佛法和師父的聲音；所以搭這輛車的人特別安靜，每個乘客一坐上這輛車，都不講話，只是安靜地聆聽師父的開示。不過，有個缺點，就是常常聽到忘記下車。」

我就問她：「這樣妳會感到後悔嗎？」她說：「若不是時間上的限制，我寧可繼續聽下去呢！」可見我們的心若是靜下來時，境界無我，連錄音帶裡講的話都變成清泉流水，可以洗練內心的煩惱。但是現實的人生，使她不得不面對人來人往的環境。

人生就是這樣。有的人環境很好，也有福緣可以親近佛法，但越是接近佛法越是忽視了佛法，越是接近聖人越是遠離了聖道。這就是一般人的業。

惜法，聽法

佛在世時，有一位年近百歲的老人，他很虔誠，從遙遠的地方走了好幾天的路，他迢迢千里而來，就是要到佛的面前瞻仰佛陀的德相，聽佛陀的法音。

他好不容易才來到佛的精舍，但佛的幾位弟子在門口阻擋，因為佛陀身體欠安，所以他的弟子就守在門口，想讓佛陀好好休息。但是這位近百歲的老人，已經走了許多天的路，所以很疲累，且又餓又渴。他認為自己年紀這麼大了，沒有多少力量及時間，能讓他再等下去，於是就在外面苦苦哀求。但是佛陀的弟子還是堅持保護佛陀，認為這是他們的責任。而這位老人也不願就這樣回去，於是雙方爭執的聲音傳到了佛陀的耳邊。

佛陀就問阿難：「外面有什麼事嗎？好像有人苦苦哀求的聲音。阿難，去外面看看。」阿難出屋去看，原來是位百歲老人，為遂心願特來求見。這時佛陀起了憐恤心。佛陀說：「阿難，扶我坐起來，趕快去請老人進來。」阿難幫佛陀整理好，讓他起來坐好，然後到外面將老人引進室內。

老人看到佛陀，就跪在地上痛哭流涕。他對佛陀說：「佛啊！您的慈悲

我很感恩。我是因什麼業來到人間？這麼長壽，卻這麼命苦。」他一直生活在貧窮困苦中，因為年紀很大了，子女也已經過世，無人奉養。如今，他想拜見佛陀，竟是這麼不容易。

佛陀說：「你是有福的人啊！佛示現人間是百千萬劫難遭遇的，而且天下這麼廣闊，你能與佛同一國度、同一時期，實在難得。雖然你年紀較大，但還有今天這個機會來見佛，可見你的福也很大啊。

想想看，百劫時間，六道輪迴的眾生有多少呢？在這百劫時間你能夠來，你難道不覺得很有福報嗎？人身難得，能夠與佛同世，與佛同地，難道不是一個有福的人嗎？」

老人本來是滿臉苦相，聽到佛陀對他說的這些話，抬起頭來，露出笑容。他覺得他果真是這麼有福啊！雖然經過了近百年的歲數，受盡了風霜，卻能夠聽到佛的聲音，誰說他沒有福？

他向佛陀說：「我想修行。」佛陀只說了一句話說：「善來，比丘。」這位百歲老人就正式成為佛的出家弟子。

在我們的生活中，如能常常自認「有福」，則周圍那一樣不是佛法？那一樣不是在洗練心地？我們若把一切都當作歡喜的佛法，把一切當作千載難逢

的機會，這樣的人生不是很充足嗎？我們若能「惜法」，就能將佛法應用在人生的使用權上，不只是聆聽佛法而已，還可以發揮佛法的功能，這也是最有福的人。若用心，即知我們是「福中人」。

與慈濟結緣

簡靜惠

與慈濟深深結緣，被證嚴師父的慈愛關照，是從先夫敏隆病重進出醫院的奔忙中一直到現在。那年（民國七十八年）我一方面在實際的生活中體驗生老病死，一方面在慈濟護專教授人生哲學，經過了這幾年，敏隆走了，我調整了工作及生活內容，此時我生活平靜、工作愉快，心中十分的感恩。

這一段日子，師父教我大愛⋯走出夫妻之愛，愛學子、眾生⋯，師父也教我割捨⋯不能留，就讓他走吧！在關鍵時刻，師父更提醒我⋯人生不可蹉跎，切忌慢慢來，發揮自己的良能，演好自己的角色！

就在台北—花蓮，護專、醫院、精舍的走動中，我漸漸的看到師父在踐行慈悲喜捨的風範。我最佩服的是：師父不說什麼大道理，都能切合實際，及與社會潮流相契合的隨緣開示。師父在演講說佛法時舉的例子，都是市井小民的生活瑣事，經師父點化後，往往成為大啟示，讓慈濟委員及會員們都覺得好貼切，好自然，心被打動了，無形中，也就跟著師父走在菩薩道上。

慈濟功德會的靜思精舍占地不大，很樸實，但來往的會眾很多，是許多人在內心追求平靜時的嚮往之地。每天的早晚課、靜坐默念，乃得身心自在，念念清淨無私。

我每週一次到慈濟護專教課，或心裡感覺若有所失時，也到精舍去拜佛看師父。精舍的寧謐，師父的智慧、慈悲，善於說法，往往能助我轉「心」回頭，再看人、看事、看萬物也跟著光亮起來。

我在慈濟做的是教育的工作，除了在護專授課之外，我也幫著為委員、志工及懿德媽媽做教育訓練，因此常有機會與委員們相處，從他們口中更了解到師父人性化，可愛的一面。人嘛，除了生老病死的人生大關外，更多的是在生活上的七情六慾帶來的種種煩惱及困擾，委員們自然的會在師父說法或閒聊中去拾寶，師父也能就地弘法，順著情境點化。

比如外遇問題時，師父會說：一丈之內是丈夫，一丈之外，馬馬虎虎；婆媳問題，師父則說：笑臉迎人，好語相向；青少年問題，他會對父母及孩子說「三無」——普天之下無我不愛之人，普天之下無我不信之人，普天之下無我不能原諒之人……。

對在事業掙扎奮鬥的人，師父會勸勉：要把握時間，人真的沒有「所有權」，只有「使用權」，要好好努力珍惜這份緣，也不忘社會責任……。

對於在修行道上稍見傲慢之人，師父會說，要做海綿，不要做牙籤，因為牙籤二邊尖，會刺人……。

師父的心真的是無限的寬廣，視野也更遠，許多艱難遙遠，不可能的事都在師父：

「願」有多大，力量就有多大的信念下，一一完成。比如慈濟醫院、護專、醫學院的成立；預約人間淨土、大陸賑災，援助外蒙，伊索比亞救災，以及尊重生命……，多到不勝枚舉，而在平常的例行濟貧教富，隨機教育委員、會眾等更是從不間斷。

其實師父最看重的，也是踐行最徹底的是「每日」的言行，以及每一個人的生命。「滴水成河，粒米成籮」，而一年有三百六十五日，是否人人有把握自己的壽命一定能度過這三百六十五日呢？因此要愛護自己的生命，珍惜眼前的此時此刻，發揮身體的良知良能，做問心無愧，利益眾生的工作。

這些年來，我在慈濟的大團體裡，接受證嚴師父的教誨，面對生死、病痛，從極大的挫折中站起，堅定的走在教育文化的路途上，師父說這是大喜大捨的工作。真正的教育家在於教導人類如何獲得精神上的愉悅。為了培育英才，為人師者，要能捨出時間與智慧，對學生毫無保留的傾囊相授，不存私，就是大捨。

推展文化，正是要淨化心靈，使得大家明白生命的意義所在，進而知福惜福，時時身心安寧，歡愉自在，這就是文化的大喜。

大喜大捨、大捨大喜，時時讓我歡喜。我當要知道內心的慈悲與愛、時時的觀照自己，才能導致生活與工作的平和愉悅。得師父賞賜此四字作為今後人生之座右銘，受益良多。洪建全基金會有幸為師父出書嘉惠眾生，恩允以「大喜大捨」為書名，願與有緣者共勉。

簡靜惠寫于台北淡水

八十二年十月

◎人生對話系列◎

對話，是自我內在的回應，深入生命底層，尋找人生的原點與定點。

□A1001 人生問卷　傅佩榮著 定價 140元
□A1002 尋找生命的重心　傅佩榮著 定價 140元
□A1003 最後一張王牌　傅佩榮著 定價 150元
□A1008 自我改革三部曲　近藤裕著 葉淑惠譯 定價 150元
□A1009 人我交融——自我成熟與人際關係　沈清松著 定價 140元
□A1010 身心安頓　林清玄著 定價 170元
□A1011 愛·溝通·成長　陳怡安著 定價 150元
□A1012 路是無限的寬廣　松下幸之助著 松風月刊社譯 定價 150元
□A1013 積極自我的開拓　陳怡安著 定價 150元
□A1014 活出現代人的意義　陳怡安著 定價 150元
□A1015 穩實安命　陳怡安著 定價 150元
□A1016 確立生命的原點——儒家與現代人際關係　傅佩榮著 定價 160元
□A1017 圓成生命的理想——儒家與現代人際關係　傅佩榮著 定價 160元
□A1018 從自我出發　傅佩榮著 定價 170元
□A1019 禪·生活與工作　鄭石岩著 定價 170元
□A1020 人生關卡　王邦雄著 定價 160元
□A1021 煩惱平息　林清玄著 定價 180元
□A1022 人類所謂的成功　松下幸之助著 台北PHP友會譯 定價 170元
□A1023 大喜大捨　證嚴法師著 定價 170元

國立中央圖書館出版品預行編目資料

大喜大捨／證嚴法師著. --第一版. --臺北市：洪建全基金會出版；臺北縣中和市：旭昇總經銷, 1993［民 82］
190 面；21 公分. --(人文叢書)
ISBN 957-8877-00-5(平裝)

1. 佛教-教化法

225　　82007914

◉人文叢書……大喜大捨

◉作者……………………證嚴法師
◉發行人…………………洪簡靜惠
◉出版者…………………財團法人洪建全教育文化基金會
地址：台北市羅斯福路二段 9 號 12 樓
電話：(02) 396-5505（代表線）
執照：行政院新聞局登記證局版臺業字第 0800 號
◉社長……………………林哲生
◉執行主編………………曾文娟
◉美術編輯………………弓力威
◉總經銷…………………旭昇圖書有限公司
地址：台北縣中和市中山路二段 352 號 2 樓
電話：(02) 245-1480
傳真：(02) 245-1479
郵政劃撥：1293504-1
◉排版者…………………文盛電腦排版股份有限公司
◉印刷者…………………沈氏藝術印刷股份有限公司
◉法律顧問………………萬國法律事務所
地址：台北市仁愛路三段 136 號 15 樓
電話：(02) 755-7366
◉定價……………………170 元
1993 年 11 月第一版第一刷
1995 年 8 月第一版第 22 刷

ISBN 957-8877-00-5

洪建全基金會